JN072978

命も財産も
全て奪われる
日本人の
ための

ディストピア・サバイバル・テキスト

Dystopian Survival Text

［著］飛鳥昭雄

備えよ、2024年その凶暴なプランが露わにな

目次

Part 1

デイビッド・ロックフェラーの最後の言葉「赤子を含めて……日本人は全て……根絶やしにしろ」は、なぜいかなる理由で放たれたのか⁉

Part 2

コリアＪＡＰＡＮのシステムを理解しないと日本の「ディストピア」を生き残ることはできない!!

Part 3

これが支配者の文化だ！「ショック・ドクトリン＝惨事便乗型資本主義」という傍若無人の経営で根こそぎ略奪していく！

Part 4

GHQの仕掛け！　統一教会、創価学会、在日、自民党、清和会のステルス支配の中で「ゲノム遅延死ワクチン」を打ちまくった日本人を襲うのは、殺されながら全財産を奪われてゆくディストピアのみ！

Part 5

その手に乗るな！　パワーブローカーは、米国を日本から撤退させ、中国に戦端を開かせ、日本も中国も台湾も、全部略奪を目論んでいるぞ‼

Part 6

狙われる理由　ロスチャイルド、ロックフェラー、在日シンジケート支配の中で日本人はもうすでに死んでいる⁉

Part 7

中国のディストピア！　習近平は毛沢東の紅衛兵・文化大革命を見習って、自らを守るためだけに全中国人民を地獄に落とすつもりだ⁉

Part

8

ここがポイント！　ディストピアの舞台操置イスラエルとヤ・ウマト（＝大和民族）の不即不離な関係！

カバーデザイン　森　瑞（4Tune Box）
校正　麦秋アートセンター
本文仮名書体　文麗仮名（キャップス）

Part 1

デイビッド・ロックフェラーの最後の言葉「赤子を含めて……日本人は全て……根絶やしにしろ」は、なぜいかなる理由で放たれたのか⁉

dystopia

ゲノム操作ワクチンとゴキブリ食で、世界一邪魔な日本人皆殺し！

現時点で分かっている限りだが、２０１７～19年に掛けて、日本はアメリカの「ビル&メリンダ・ゲイツ財団」が遺伝子操作で創らせた人工ウイルス「ＣＯＶＩＤ－19」の散布実験場だった。

敵地攻撃高度２００メートルを、戦闘機や爆撃機でもない2機の輸送機が、何の前触れもなく日本の市街地を飛び回った。アメリカ本土でも「ケムトレイル（chemtrail）」で使われるアメリカ軍輸送機「C-130 Hercules」である。

「ケムトレイル」は「ケミカル／化学物質（chemical）」と「トレイル／痕跡（trail）」を合わせた造語で、高高度を飛行する軍の輸送機から空中散布される化学物質、細菌、ウイルスとされるが、未だに秘密の厚いベールに包まれている。

日本で「ＣＯＶＩＤ－19」が蔓延したのは、その出来事を無視すれば、２０２０年2月3日、「ＤＰ／ダイヤモンド・プリンセス号」が横浜港に入港してからで、1月25日に香港で下船した80代男性が「新型コロナウイルス感染症（COVID－19）」に罹患していたことが2月1日に確認、2月2日に香港から報告を受けた「厚生労働省」が、2月1日那覇港寄港時に検疫を受けた「ダイヤモンド・プリンセス号」船員乗客に対し、2月3日に再度横浜港で検疫を実施してから本格的な大騒ぎが始まった。

「ダイヤモンド・プリンセス号」はイギリスの「P&O社」が所有し、アメリカの「プリンセス・クルーズ社」によって運航される外航クルーズ客船で、イギリスのロスチャイルドと、アメリカのロックフェラーが一枚噛んでいる曰く付きの客船だった。

実はこの時、免疫を研究する日本の専門医や研究所から、「日本人は既に新型コロナの抗体をもっている」「新型コロナへの免疫が備わっている」「日本人の多くは新型コロナに少なくとも3度感染していると確認できる」「ダイヤモンド・プリンセス号の大騒ぎの時、日本ではCOVID－19の蔓延は既に終わっていた」等々の情報が発信されていた。だから当時、日本人だけがなぜ「COVID－19」に感染しないのか世界中の謎になっていた。

答えは簡単で、「COVID－19」はRNAの長さが従来のウイルスの十数倍（16倍ともいわれる）もある人工ウイルスで、感染しても風邪程度の微毒性ウイルスで、幼児が感染しても全く平気なレベルだった。

そこで判明するのが、「COVID－19」は撒き餌で、本命は「COVID－19」のゲノム配列を遺伝子操作で創った「ｍＲＮＡ／メッセンジャーＲＮＡ」を接種させることにあった!!

「ｍＲＮＡ」はほとんど無毒の人工ウイルス「ＣＯＶＩＤ－19」のＲＮＡを母型に、ウイルスの突起「スパイク」と合う受容体「レセプター」が取り込まないよう、「ＣＯＶＩＤ－19」の外装のみ（中身のない）のゲノムワクチンを接種すれば、自己免疫が出来て「ＣＯＶＩＤ－19」に感染しないで済むという触れ込みだった。

ゲノムの遺伝子操作で人工的に何かを創り出すには、ＲＮＡにせよＤＮＡにせよ、ゲノム操作した染色体を覆う鞘（さや）の「プリオン蛋白質（PrPC）」が必要で、それがないと染色体は簡単にバラバラになってしまう。

そこで、ある特殊な刺激を与えたら、ゲノ染色体をプリオン蛋白質が覆うことを世界で初めて発見したのが、ハンガリー生まれの生化学者カリコー・カタリン女史である。

今、彼女はドイツのバイオ企業「バイオンテック社」の副社長で、「ファイザー社」と共同で「新型コロナウイルスワクチン」を開発、「ローゼンスティール賞」「ヴィルヘルム・エクスナー・メダル」「アストゥリアス皇太子学術賞」等々の世界中の医学賞を総なめし、今のまま何も起きなければ「ノーベル賞」は確実視されていた（２０２３年ノーベル生理学・医学賞受賞）。

ところが、ゲノムで何かを創った場合、その染色体を覆う「プリオン蛋白質（PrPC）」は「異常プリオン蛋白（PrP）」「スクレイピープリオンタンパク質（PrPSc）」に変異、それを注射で接種したり、食事として食べたら最後、血液を介して健全な脳と髄に取り付き、脳髄を溶かす「ＣＪＤ／クロイツフェルト・ヤコブ病（Creutzfeldt-Jakob disease）」を発症することが判明した!!

では、なぜビル・ゲイツ製人工ウイルス「ＣＯＶＩＤ－19」に感染しても、幼児さえ死ななかったかというと、正常な免疫機能が働いていればキラー細胞や白血球が喰い殺して体外へ排出したということだ。

そこで「ファイザー」は、ｍＲＮＡの中に人の正常な「免疫機能」を書き替える遺伝子を組み込み、接種すればするほど免疫が消える「ブレークスルー感染」を引き起こさせ、最後は免疫系破壊で死を迎えるよう仕掛けたのである。

日本でも接種が始まった頃、「ファイザー」「モデルナ」の注射痕に強力なボタン型磁石を置くと体にくっ付いたのは、磁気や電磁波を帯びると動き回る「酸化グラフェン」が消毒薬として注入されていたからだ。

スマホを耳に当てて長時間使うと、血液中の「酸化グラフェン」が脳に集まり始め、最悪の場合、血管を鋭い分子の刃で切裂き「脳溢血」「くも膜下出血」を起こし、５Ｇの中継基地の中に入るだけでも同じ現象が起きる。

最近では、歯科で使う「麻酔液」に「酸化グラフェン」が混入しているため、金属排除の「グルタチオン錠」（鶴原製薬）を飲み続け亜鉛を含む食材でデトックス（毒出し）するしかない。

日本人は何も考えず世界最大の接種率に邁進し、接種開始後徐々に副反応が出はじめ、今や加速度的にバタバタ死に始め、2023年夏にはウクライナ戦争の死亡者より12万人多い加速度で死ぬため、火葬場が2週間待ちの有様だった。接種後3年目に突入する2024年には、少なくとも1回の接種者9819万2658回（全人口の77・98パーセント）が、日本から次々といなくなる。

それでも非接種の2千万人ほどが生き残るが、ビル・ゲイツは「SDGs」を盾に「コオロギ（ゴキブリと同じ節足動物門昆虫綱直翅目）食」を21世紀の世界食とPR、遺伝子操作で「ゲノム巨大コオロギ」を創らせ、それをパウダーにして「調味料」「アミノ酸・等」表示で全加工食品と菓子に混ぜさせ、「スクレイピープリオンタンパク質（PrPSc）」を消化器系から摂取させ、「BSE／狂牛病」の〝肉骨粉〟と同じやり方を、「統一教会」と在日が支配する自民党と一緒に推し進めている。

そんな最中、終戦直後から日本を支配しているアメリカ軍が、再び「C-130 Hercules」

で何かを散布し始めた……２０２３年４月20日、２機のアメリカ軍輸送機が、風が籠る山梨県の「甲府盆地」の上空に突然現れ、２００メートル以下の低い高度で旋回飛行を繰り返したのだ。

２機の「C-130 Hercules」は、南部町方面から中央市を経由して八ヶ岳方面へ飛んだ後、再び中央市上空に戻って来て低い高度で旋回、その間、何かを散布していたと思われるが、それが日本人を完全に殺す仕掛けと分かっていても、アメリカの傀儡（かいらい）の自民党では何の役にも立たないどころか、逆に一緒になって殺しに来る!!

dystopia

ディストピアを解け！　聖書で奴隷となるはずのカナンの末裔がなぜ世界を支配できたのか⁉

イギリスのロスチャイルドと手を握りながら、国際社会を支配する闇の勢力を担うアメリカのロックフェラーは、共に『旧約聖書』に登場する史上最悪の猛王「ニムロド」の末裔とされ、その中でもアメリカの「ＤＳ／闇の政府（deep state）」の帝王だったデイビッド・ロックフェラーが、２０１７年３月20日、１０１歳でこの世を去った。

死因は「うっ血性心不全」で、亡くなるまで若者の心臓を7回も移植をしたが、最初の心臓移植は1976年の心臓発作の直後で、移植の度に「新しい命が吹き込まれる」が口癖で、200歳まで心臓移植で生きると豪語した彼の夢は、「聖書」の預言の通り120歳を待たず101歳で終焉した。

「主は言われた。『わたしの霊は人の中に永久にとどまるべきではない。人は肉にすぎないのだから。』こうして、人の一生は百二十年となった。」(『旧約聖書』「創世記」第6章3節)

「医療マフィア」のドンでもあったD・ロックフェラーは、天文学的資金を使って財団を運営、「第二次世界大戦」後、20世紀初頭からある「CFR／外交問題評議会（Council on Foreign Relation)」から「UN／国際連合（United Nations)」を創り、「WHO／世界保健機関（World Health Organization)」も彼の手で創設された。

これにより、ロックフェラー財閥は、世界の医療を根底から支配する「医療マフィア」を創り上げ、その路線にビル・ゲイツがいる構図になる!!

このことから、ロックフェラーは世界中の人々の命を救うと同時に命を奪う「医薬品&

ワクチン」を支配したことになり、ロスチャイルドの傍系のデイビッド・ロックフェラーの最期、今際の言葉が「赤子を含めて……日本人は全て……根絶やしにしろ……」だった。

斯くして日本人の絶滅が、ダグラス・マッカーサー以降、日本を支配する「横田基地」の「在日アメリカ軍司令部（United States Forces Japan）」に伝えられ、ビル・ゲイツ母型となる「COVID－19」の最終段階の人体実験が日本人をモルモットに開始されたのである。

この人体実験は、効きすぎる人工ウイルスならビル・ゲイツまでが死んでしまうため、〝特徴的な毒性は殆どないが感染力だけが異常に強い〟ことが重要で、尚且つ、「春節」直前に中国でばら撒く事まで最初から計画されていた。

それまでにできるだけ「COVID－19」をチェックし、完成が認められれば、その人工ウイルスをアメリカにいる中国のスパイに〝アメリカ軍の最高機密ウイルス兵器〟として渡るように仕掛け、それを武漢の「中国科学院武漢ウイルス研究所」か「武漢P4研究室」に運ばせることになる。

到着とほぼ同時に、東京の「アメリカ大使館（極東CIA本部）」から日本国籍の在日のエージェント2人を武漢に送り込み、そこで「COVID－19」を散布させれば共産主義の常で対処が必ず後手に回り、2020年2月の中華大移動の「春節」で世界中に拡散するよう仕掛けた。

２０２０年の「ダイヤモンド・プリンセス号事件」が演出される前、アメリカ軍主導の「ＵＳＦＪ／日米合同委員会（Japan-US Joint Commitee）」の席で、霞が関の中枢を占める在日朝鮮人グループ、法務省大臣官房長、農林水産省経営局長、防衛省地方協力局長、外務省北米参事官、財務省大臣官房審議官らとの秘密会議で、「ビル・ゲイツ製母型ゲノム遺伝子操作ワクチン」の日本人への集団接種、特に天皇徳仁(なるひと)陛下を含む皇族全ての摂取の草案が可決、たとえ「宮内庁」が抵抗しても必ず押し切ることが決定する。

在日アメリカ軍もそうだが、「ペンタゴン／国防総省」もロックフェラーの仕掛けを知らされず、軍も率先して「ファイザー」「モデルナ」のワクチンを接種し、自民党の国会議員も一部を除き在日だろうが殆ど接種している。

一番典型的なのが、安倍（李）晋三の弟の岸信夫（元）防衛大臣で、数回のワクチンの接種後、急激に体調を崩して車いす生活に陥り、ついに議員辞職するに至ったが、それほど長く生きることは出来ないだろう。

これで分かるが、ロスチャイルドとロックフェラーの「パワーブローカー（Power Broker)」は、アメリカ人、イギリス人、イギリス王室、在日朝鮮人だからと特別扱いする気は全くない。

２０２０年を李氏朝鮮が日本を完全制覇した記念セレモニーとして、「東京コリアンピック２０２０」を開催しようとしたが、それが決定した当時、天皇昭仁(あきひと)陛下の「生前退位」により、ＣＩＡが皇室に送り込んだ在日の秋篠宮に皇位を移すことに失敗した。しかし、ロシア領出身の在日の森喜朗を中心に、莫大な利権を得るためのコリアンピック開催が、李氏朝鮮の末裔の安倍（李）晋三を含む在日シンジケート（自民党）の夢となる。

ところが、嘘のパンデミックで「東京コリアンピック２０２０」は風前の灯火となるが、莫大な利権が絡む「自民党」は無理矢理２０２１年に開催を延期させるのである。

一方、ビル・ゲイツも、２０２１年1月12日、（当時）菅義偉(すがよしひで)首相に国際電話をかけ、「コリアンピック２０２１」を決行するためには、東京を中心に「ファイザー」「モデルナ」等のワクチン接種の普及を推し進めるよう要請している。

中国の習近平は、アメリカの「ウイルス兵器」を武漢に持ち込んだ寸前、何らかのミスで外に漏れたと信じ込み、武漢、上海と次々と「ロックダウン（都市封鎖）」を開始、２０２３年には全土2万カ所でロックダウンを続けたため、国民の反感を買い、上海や北京で暴動が起きた。そのため慌てて「ゼロコロナ政策」に改めるが、時遅しで中国経済が急激に悪化度を高め、「イルミナティ(後期)／Illuminati（Late-day）」の思う壺となる!!

こうして見ていくと、世界は超大国アメリカ、世界第2位の中国でさえ、実は世界を真に動かしているのではなく、基軸通貨、アメリカ型資本主義、新自由主義、グローバル経済、基軸通貨、医療組織を支配するロックフェラーと、国際銀行制度、為替制度を支配するロスチャイルドの駒に過ぎない構造と分かる。

白人の数はロシアのスラブ系を含め世界の17パーセントに過ぎず、混血を含むカラード（有色人種）が世界人口の83パーセントもいるため、一見すると、「ノアの箱舟」でアララト山に漂着したノアと3人の息子から分岐した「ヤフェト系（コーカソイド）」が、「セム系（モンゴロイド）」と「ハム系（ネグロイド）」を支配しているかに見える……が、ロスチャイルドとロックフェラーは猛悪の王「ニムロド」である〝カナン人〟を祖とする点が矛盾する。

「箱舟から出たノアの息子は、セム、ハム、ヤフェトであった。ハムはカナンの父である。この三人がノアの息子で、全世界の人々は彼らから出て広がったのである。さて、ノアは農夫となり、ぶどう畑を作った。あるとき、ノアはぶどう酒を飲んで酔い、天幕の中で裸になっていた。カナンの父ハムは、自分の父の裸を見て、外にいた二人の兄弟に告げた。セムとヤフェトは着物を取って自分たちの肩に掛け、後ろ向きに歩いて行き、父の裸を覆った。二人は顔を背けたままで、父の裸を見なかった。ノアは酔いからさめると、末の息子がしたことを知り、こう言った。「カナンは呪われよ奴隷の奴隷となり、兄たちに仕えよ。」また言った。「セムの神、主をたたえよ。カナンはセムの奴隷となれ。」（『旧約聖書』「創世記」第9章18〜26節）

なぜ、奴隷となるはずのカナンの末裔が、世界を支配できるかが完全に「聖書」と矛盾しているのだ!!

そこを解き明かさなければ、ロスチャイルドとロックフェラーの「イルミナティ／Illuminati（Late-day）」（後期）が支配する「ディストピア（dystopia）」を生き抜くことは出来ない!!

dystopia ③

世界を支配するジェイコブ・ロスチャイルドはなぜ「我が一族はニムロド王の直系である!!」と言ったのか!?

なぜ、ノアが自分の裸を見た三男のハムではなく、ハムの息子カナンを呪ったのかの謎を含め、重要なのは〝カナン人〟はハム系でもハムの息子〝カナン〟とイコールではない点である。
「カナン人」とは、当時のサレム（後のエルサレム）の王セム（メルキゼデク）がいた周辺一帯に住むハム系一族を指し、「カナン」とはハムの息子の一人を指すと同時に、現在のイスラエル一帯の地名を「カナン」といい、モーセの時代は「約束の地カナン」と呼んでいた。

「ハムの子孫は、クシュ、エジプト、プト、カナンであった。クシュの子孫はセバ、ハビラ、サブタ、ラマ、サブテカであり、ラマの子孫はシェバとデダンであった。クシュにはまた、ニムロドが生まれた。ニムロドは地上で最初の勇士となった。」（『旧約聖書』「創世記」第10章6〜8節）

イギリスのロスチャイルドの頭首ジェイコブ・ロスチャイルドが一族に語ったように、「我が一族はニムロド王の直系である!!」から、ロスチャイルドと傍系のロックフェラーは同じハム系でも、奴隷になるよう呪われた「カナン」の末裔ではなく、ハムの別の息子「クシュ」の末裔で、ヤフェト（コーカソイドの祖）系の白人や、セム（モンゴロイドの祖）系のヤ・ウマト（大和民族）の奴隷になる「呪詛」の外にあったのである。

このことから何が分かるかというと、モーセが古代では当たり前の「多妻婚」でハム系の女性を妻としたことを、モーセの姉のミリアムと腹違いの兄アロンが責めた謎だ。

「ミリアムとアロンは、モーセがクシュの女性を妻にしていることで彼を非難し、『モーセはクシュの女を妻にしている』と言った。」(『旧約聖書』「民数記」第12章1節)

絶対神ヤハウェが呪ったのは、ノアの三男のハムではなく、その子のカナンだったことから、クシュは呪いの対象ではなく、クシュの娘を妻にしたハツェロトの地は「カナンの地」ではなく、モーセは「カナンの地」に入る前に神に生きたまま取り上げられたことから、残されたモーセの妻でクシュの娘と子が、後継者のヨシュアとともに約束の地に入った可能性が高い。

だから、モーセの姉のミリアムが怒りを発したのは、呪われた「カナン」の末裔ではなく、猛悪の王ニムロドと縁があるクシュの娘だったからだ。

そのクシュの娘がモーセの子を産み、カナンの地に入った時、「カナン人」の一つクシュの末裔(ニムロドの直系)と親族になったため、ヨシュアは「カナン」の末裔は打ち殺しても、身内となった同じクシュを打ち殺すのを躊躇(ためら)った可能性がある。

同時に「カナン人」でもあったクシュが、「カナン」への呪いのようにヤ・ウマトの奴隷になると申し出たことから、古代では当たり前の重労働に従事することで、ロスチャイルドとロックフェラーの祖先はヤ・ウマトの地で生き残った。

そこで、なぜハムの罪を妻エジプタスとの子カナンが背負ったかの謎だが、ノアが「箱舟」の近くで葡萄畑を造り、皆で生活していた記述から、既にカナンは成長していたことが読み取れ、いくら何でも胎児や生まれたての幼児のカナンに呪いをかけるのはおかしい。

さらに言えば、父のハムを唆（そそのか）したのが、成長した息子「カナン」の可能性があり、そのカナンと人類初の殺人を犯し、死ねない体で地上を彷徨（さまよ）うことになった「カイン」と会っていた可能性もある。

なぜなら、トルコのアララト山の周囲で二つの箱舟が確認されており、一艘は「舟形地形（巨船の化石）」で、もう一艘はアララト山のクレバスに隠れているが、雪解けで時々姿を現すからだ。

普通に考えれば、ハムにしても勝手に裸で寝ているノアを見ただけで罵倒されることは無く、息子のカナンが何らかの悪知恵で父のハムを唆（そそのか）したため、ノアはハムの息子カナンの悪質さを見抜き、カナンを呪ったのだろう。

それがノアの裸を覆う「預言者の着衣」だったことは容易に想像でき、それを奪うよう、ハムを説得したため、セムとヤフェトが取り返したことになる。

そこで猛悪の王「ニムロド」だが、呪いを受けた「カナン」の一族ではないため、ロスチャイルドの祖である「カナン人」のクシュは、後に現れるアングロ・サクソンや、ゲルマン人の奴隷になることも無く、むしろ世界に拡大する祝福を受けた白人を、武器ではなく必ず必要となる「資本・資金」で支配していく。

ハムの息子であるクシュ、エジプト、プト、カナンは、エジプト、リビア、エチオピアの地を目指し、特に「カナン」の末裔はアフリカ中に拡散していく。

ニムロドはハムの息子「カナン」の子孫ではなく、ハムの他の息子クシュから生まれた猛悪の王で、サレムの預言者セムと闘うため、敢えて同じカナンの地に「バベルの塔」を築き、セムの一族を抹殺しようと手段を講じるが、最後は塔が崩壊して自身も首を刎ねられてしまう。

その末裔がヤ・ウマトに憑りつき、娘を側女として差し出すことで軒から母屋を奪い、最後は「バアル」の信者にして国を二分させ、ヤ・ウマトを滅ぼしていく。

だから、「カナン人（クシュ）」のニムロドを祖とするロスチャイルドは、欧米キリスト教諸国の「クリスマス（Christmas）」をニムロドのシンボル「X」の「Xmas」に変えさせ、悪魔の「SATAN」を、子供を浚って喰らう大きな袋を持つ「SANTA」にアナグラムし、ニムロドの誕生日12月25日を聖日として世界中で祝わせているのが現代である!!

ロスチャイルドがイエス・キリストと入れ替えた「merry Xmas」の意味は「Magical or Merriment Communion with Nimrod〈ニムロドと一緒に悪魔との楽しいつながりを祝福しよう〉」である!!

海賊のシンボルの「髑髏旗（どくろ）」も、首を刎ねられたニムロドの頭蓋骨に、ニムロドのX字に骨を組み合わせた物で、サンタクロースも海賊の守護神である。

そのロスチャイルドの傍系で、新大陸でロスチャイルドの天文学的資金を受け、アメリカの石油王からウオール街の支配者、ドル札を自由に刷れる大統領を超える地位にのし上がったロックフェラーの「NYロックフェラーセンター」に、毎年、ニムロドを賛美する「世界最大のクリスマスツリー」が掲げられ世界中がニムロドを賛美しているのだ!!

世界の超大国アメリカが右と言えば左が正しく、上と言えば下が正しい真逆の世界が現代で、人類最後の年号「令和」は、人類最初の天皇陛下で絶対神ヤハウェに祭壇を築いた神職アダムで、それに対する最後の天皇徳仁（なるひと）陛下の世が完全に善悪が二分される!!

イギリスとアメリカ主体で「ウクライナ復興資金」を世界に訴えているが、ウクライナは今、戦争の真っ最中であるのだから、「復興」はおかしい。ウクライナへ武器を回している資金はロスチャイルドの国際金融ピラミッドが吸い上げたもので、ロックフェラーのアメリカの「マッチポンプ」が、戦争をしながら復興する「英米巨大ヘッジファンド」の巨大資本が動いていると知るべきである。日本人は茹で蛙の如く「破壊されたウクライナで何て素晴らしいプロジェクトかしら」などと思っているが、馬鹿過ぎて話にもならない。これでは「ディストピア（dystopia）」を生き抜く知識も知恵も無く、真っ先に不要な人間として処分されるだろう!!

dystopia ④ 聖書を日本人の手に取り戻せ！ 爆発的なオカルトブームの裏で進む皇祖神ヤハウェの計画!!

今、日本滅亡直前を象徴するように、世を上げて「呪物ブーム」だが、一昔前ならそんな危うい代物を観賞したら、憑依されるかもしれないため、催すこと自体が絶対的タブーだった。

ところが、地上波TVがコンプライアンスを盾に「心霊番組」を全て追放した結果、SNSに勢力が移動し、YouTuber の時代到来と相まって YouTube に「怪談」が一気に拡大、お笑い芸人からアマチュアまでが入り乱れる「怪談ブーム」が炸裂、「怪談師」が雨後の筍（たけのこ）」のように乱立、それをオカルトと称して爆発的なブームとなっている。

そこへさらに油を注いだのがアニメ映画「鬼滅の刃」の空前の大ヒットで、この相乗作用で今の「怪談ブーム」と「呪物ブーム」が起きており、日本では毎年お約束の「真夏の幽霊話」と重なる2023年夏で最大のピークに達したようだ。

その社会現象が「ディストピア（dystopia）サバイバル・テキスト!!」とどう関わるかだが、そもそも「呪物」に限らず「呪い」「死霊との仲介者」はヒトがやってはいけないことになっており、関わる者は全て神から断ち切られるとある。

「男であれ、女であれ、口寄せや霊媒は必ず死刑に処せられる。彼らを石で打ち殺せ。彼らの行為は死罪に当たる。」（『旧約聖書』「レビ記」第20章27節）

言葉を変えれば、「呪物」や「呪い」も、神の「祟り」「呪詛」が元になっており、それをヒトが行うことを戒める言葉が、「人を呪えば穴二つ」で、ヒトへの呪いは必ず己の身にも降りかかることをいう。

「祟り」は神の領域であり、「祟」を漢字分解すれば分かるが、祟は「出＋示」で、出は「山＋山」となり、山は三柱のため、それが2つ重なった「出＝山・山」は、『古事記』の天御中主神（アメノミナカヌシノカミ）、高皇産霊神（タカミムスビノカミ）、神皇産霊神（カミムスビノカミ）の〝造化三神（ぞうかさんしん）〟と、『日本書紀』で別名の国常立尊（クニノトコタチノミコト）、国狭槌尊（クニサツチノミコト）、豊斟渟尊（トヨクムヌノミコト）の〝元初三神〟で出来ている。

そもそも「神」は祟りの対象なので日本中で「祭」をして鎮魂するのであり、「祝詞（のりと）」で祟りを沈めるのが「呪」で、祟り封じのためにレビ族がいる!!

「神」が関わる「言霊」のため、それをヒトに使う「呪い」は神に打たれるため、「祟」の「示」は「神」の略字になっている。

「触らぬ神に祟りなし」も、その正体が「神の箱」で、ヤハウェの民「ヤ・ウマト（大和民族）」が預かる「契約の聖櫃アーク」を指している。

「彼らは丘の上のアビナダブの家から神の箱を載せた車を運び出し、アフヨは箱の前を進んだ。ダビデとイスラエルの家は皆、主の御前で糸杉の楽器、竪琴、琴、太鼓、鈴、シンバルを奏でた。一行がナコンの麦打ち場にさしかかったとき、牛がよろめいたので、ウザは神の箱の方に手を伸ばし、箱を押さえた。ウザに対して主は怒りを発し、この過失のゆえに神はその場で彼を打たれた。ウザは神の箱の傍らで死んだ。」（『旧約聖書』「サムエル記 下」第6章4〜7節）

一見すると「ウザ」が可哀そうだが、伝承ではレビ族ではないウザが、異様なまでに「神の箱」に執着し、絶えず触れる機会を窺っていたことが自業自得となり、日本では今も「ウザい奴」とされている。

「祟」の古義は〝神意の現れ〟で、『記紀』の用例から奈良時代には「神の咎(とが)め」「神の災い」となり、神仏やその「神使(つかわしめ)」「御霊地」「境内」「御神木」に対する禁忌を破った行為への「罰」「災」となった。

一度口を出た言葉が具現化する「言霊(ことだま)」の行為が「祝詞」「御祓い」「神降し」で、本来は神主や陰陽師が言葉を選んだ「呪(しゅ)」として祭壇を置いて行う祭儀であるべきもので、それをヒト如きが勝手に他人を呪うなど言語道断で、死んだ者が生きる者を「祟(たた)る」ことも許されていない。

なぜ「ディストピア(dystopia)サバイバル・テキスト」の中で、こんな堅苦しい『聖書』を持ち出すかだが、人類最後の年号「令和」を生き抜くには、欧米キリスト教諸国がアメリカの掲げる科学万能思想、「AI技術」「ゲノム技術」「ロボテック技術」に傾く〝反聖書〟の流れに従わず、大和民族に預言された『聖書』に戻る必要があるからだ。

そうでなければ、ロスチャイルドとロックフェラーに呑み込まれて殺されることになる!!

皇祖神「ヤハウェ」は、選民の大和民族だからこそ厳しく接するわけで、その神の足台は世界の縮図である「日本列島」で、神が真っ先に浄化するのは日本となり、それが「蘇民将来」の預言で、圧倒的に多い不信心な「古丹（こたん）」を神が一撃で一掃し、皇祖神に非礼を働かない「蘇民」だけを残す業が令和の世に行われる!!

今の日本の有様を見ると、ユダヤ教、キリスト教、イスラム教、密教宗教と深く関わり表裏一体の「オカルト／隠された秘密（occult）」を〝遊び（エンタメ）〟と称して弄（もてあそ）んでいる!!

本来なら、作り物を前提とする「ホラー（Horror）」に分類される「怪談」も、宗教の根幹のオカルト、また作り物を前提とする「都市伝説」も、オカルトにするTV局の有様は、オカルトの裏返しの全宗教をエンタメ（遊び）と馬鹿にし、愚弄する最も禁じられた行為となる。

「令和」はそういう末期症状が一気に噴き出す時代で、未だ「神話の時代」にある日本で「古丹」が好き勝手に踊り狂う様は、「ソドム」と「ゴモラ」の末期症状と全く同じで、いつ日本が皇祖神から滅ぼされ浄化されてもおかしくない状態にある。

そんな中、「ディストピア（dystopia）サバイバル・テキスト!!」が示す方向は、ヤ・ゥマトの預言者が大和民族のために書き残した『旧約聖書』『新約聖書』を、聖文を捻じ曲げ悪用する欧米キリスト教諸国から取り返すことだ!!

大和民族が生き残るには、ヤ・ゥマトの祖先が残した『旧約聖書』『新約聖書』で理論武装し、京都に戻るモーセの末裔である天皇徳仁（なるひと）陛下の指示で動く準備をすることである!!

日本人の3分の2が「蘇民将来」で滅ぼされた後の日本は、欧米キリスト教諸国が敵となるため、アメリカ軍を日本から追放し、世界唯一の「神聖政治国家」となることである!!

「自民党」を消滅させ、莫大な資源と資産を元に「新生日本」を樹立、その中枢に置かれるのが「契約の聖櫃アーク」と「三種の神器（マナの壺・アロンの杖・十戒石板）」である。

ラストエンペラーが大預言者として「契約の聖櫃アーク」と向き合い、そこに降臨するヤハウェ（イエス・キリスト）の指示と啓示を受け、大和民族がそれに従うのが「神聖政治」で、薄汚れた「獣」のような者に従う「世界政府」と敵対し、真逆で動く皇祖神の軍隊だ!!

世界は皇祖神が用意した〝大預言者モーセの末裔〟に従わない限り、滅びの世界へ落ちるしか無く、『新・旧約聖書』を本来の持ち主の大和民族が取り戻す時代、神の知識と知恵を総動員しなければならない。

今の日本は、神のオカルトを勝手にエンタメの遊びと称し、怪談で乱痴気騒ぎに酔いしれているため、神により踏み潰されることになる‼

dystopia ⑤ 止まらない異次元のバラマキ！ バイデンは〝日本人ＡＴＭ〟から無限に資金を引き出せる⁉

今、世界で最も狂っている国は、ロシアでもウクライナでもなくアメリカで、さらに狂っている国が日本という「コリアＪＡＰＡＮ」の構図が明らかになってきた。

アメリカでは、アルツハイマー病を疑われる民主党のバイデン政権が歴史上最も腐り切っており、それと呼応するイギリスもＥＵから離れた安全圏から「ＮＡＴＯ」の尻を蹴って、ウクライナの底無し地獄へＥＵを落とし入れ、まるで世界をアメリカとイギリスでコントロールし、制覇する気満々の様相で、「世界統一政府」樹立に必ず邪魔になるドイツとフランスを中核とするＥＵをロシアに喰わせるため、あらゆる手練手管を使っている。

今さらウクライナから足抜け出来なくなったＥＵ諸国は、ロスチャイルドとロックフェラーにいいように振り回されている。

そんな中、日本は「太平洋戦争」でアメリカに敗北した後、ダグラス・マッカーサーによる「WGIP／戦争についての罪悪感を日本人の心に植え付けるための宣伝計画（War Guilt Information Program）」を押し付けられ、アメリカのステルス支配に、在日朝鮮人を使う構造を吉田茂が受け入れたことから、今の一億総白痴の茹で蛙状態が始まる。

終戦後の日本を支配した「GHQ／連合国軍最高司令官総司令部（General Headquarters, the Supreme Commander for the Allied Powers）」が解散した後、東京の「アメリカ大使館（極東CIA本部）」が、その政策を継承、李氏の岸信介にマッカーサーが「朝鮮戦争」で見つけた文鮮明を接近させ、同じ朝鮮民族同士で自民党の支配で意気投合、韓国で興した「統一教会」を「自民党」と合体させ、後に「国際勝共連合」を立ち上げるや、自民党の岩盤層である地方議会を制覇、国政を地方が支える構造から「統一教会」の勢力は国政より地方で盤石となり、東京の自民党本部は「統一教会問題」が表面化しても、地方があるので黙っていれば何も困らない。

一方、在日シンジケートが支配する日本のTV各局が流す報道を見て、「ウクライナ頑張れ」、「ウクライナ市民が可哀そう」、「ゼレンスキー大統領にもっと支援を」、「プーチンは悪魔よ」、「ロシアは負けろ」と捲(まく)し立てている日本人を良いことに「パワーブローカー

（Power broker）」は、ウクライナが背負う膨大な戦費（借金）による「デフォルト」の連帯保証人を日本人にし、莫大な「復興資金」も日本人に出させることが満場一致で決まってしまった。

２０２３年6月21日、ロスチャイルドのイギリス政府と、ウクライナ政府が共催する「ウクライナ復興会議」に日本の林芳正外務大臣が参加、シュミハリ首相に「カホフカ水力発電所ダム決壊（アメリカが仕組んだ可能性が出てきた）」による緊急人道支援として、ロックフェラーが創った国連機関「ＷＦＰ／国際連合世界食糧計画（United Nations World Food Programme）」、「ＵＮＩＣＥＦ／国際連合児童基金（United Nations International Children's Emergency Fund）」、「ＩＯＭ／国際移住機関（International Organization for Migration）」、「ＵＮＨＣＲ／国連難民高等弁務官事務所（The Office of the United Nations High Commissioner for Refugees）」を通じて５００万ドル（６億円）の支援を申し入れた。

２０２３年6月30日、ウクライナのデニス・アナトリヨヴィチ・シュミハリ首相は、ロスチャイルド傘下の「ＩＢＲＤ／国際復興開発銀行（International Bank for Reconstruction and Development）」と「ＩＤＡ／国際開発協会（International Development Association）」が連合する「世界銀行（World Bank）」から、戦後の復興支援を目的とする15億ドル（1500億円）を受け取ると明らかにし、その資金は全額日本の保証（日本人の借金）が提供されるとした。

既にウクライナは財政赤字を補うため、2023年6月に日本の保証で30億ドル（3000億円）を受け取り、その内40パーセントを補助金として、さらにウクライナは、2023年6月29日、日本の保証で「IMF／国際通貨基金（International Monetary Fund）」から8億9000万ドル（1250億円）の金融支援を引き出し……以後も〝日本人ATM〟からウクライナは底無しに引き出し続けることができる。

岸田自民党政権の日本国民黙殺の「異次元のバラマキ」は止まらない……政府の借金1270兆円の中、1兆円の増税を画策する狂気の「異次元外交」に突入したからだ。

自民党は中国に負けたくないアメリカに代わって、気前よくアジア全域に150兆円を「日米合同委員会（Japan-US Joint Committee）」の命令でばら撒き、発展途上国にも8兆8000億円もばら撒いて、中国の「一帯一路」に負けたくない老害バイデンを支えている。

特に習近平に負けたくないバイデンは、インドを西側陣営に留めるのに5兆円を日本に出させ、同じく進出が著しいアフリカ諸国にも、政権内に問題があっても日本に出させればアメリカは損しないため、総額4兆1000億円を支出させ、東シナ海から南シナ海領域にも、アメリカが援助する代わりに日本にフィリピン援助に2000億円、スリランカにも46億円、中国に手渡したくないバイデンの「自由と繁栄の弧」のインド太平洋地域の維持に日本から9・8兆円を援助、日本人の財布は全てバイデンが自由にできるようになった!!

dystopia ⑥ 死は確定した⁉ 米英富裕層による日本人全財産の〝争奪戦〟が始まっている⁉

在日朝鮮人が支配する「自民党」の中で最大勢力の在日グループ「清和会」は、日本の「王」に、岸（李）信介を祖父にもつ安倍（李）晋三にするよう、最大派閥の会長職を安倍（李）晋三に譲り、東京の「アメリカ大使館（極東ＣＩＡ本部）」と手を組み、母国である韓国の新大統、尹錫悦（ユン・ソンニョル）就任祝いの席に「日韓未来志向」を掲げ、天皇徳仁（なるひと）陛下を、韓国の国賓として招待、その途中か戻りのボーイング機を墜落させる段取りだった。

ところが、2022年2月24日、プーチン大統領の「ウクライナ侵攻」で、アメリカはそれどころではなくなり、バイデン大統領はその計画を一旦棚上げにする。

本来であれば、徳仁天皇の後釜に、ＣＩＡが皇室に送り込んだ在日の子の秋篠宮文仁親王が皇位継承権を持つが、多くの海外スキャンダルとアル中のため、もはや民意的にも不可能で、代わりに秋篠宮の長女眞子の夫で、同じ在日の小室（Kim）圭を臨時天皇にする計画だった。

国民的人気が絶大の徳仁陛下の長女愛子内親王の存在を恐れた安倍（李）晋三は、小室（Kim）圭計画から「男子継承」を強く主張、一方で「女性宮家設立」で眞子に皇籍を戻さねばならないため、徳仁陛下崩御が起きた直後、圧倒的議席数を持つ自民党の超法規的措置で、「女性宮家設立」と、ＧＨＱに皇籍を剝奪された旧宮家の皇籍復帰を抱き合わせることで、反対派を抑え込む筈だった。

そんな矢先、２０２２年７月８日、安倍（李）晋三自身がビルの屋上テントから陸上自衛隊の（元）スナイパーにより、奈良県の「大和西大寺駅」前で、狙撃用エアガンと氷結弾で射殺された。

プーチン大統領による「ウクライナ侵攻」が予想より早かったため、事なきを得たが、実行されていたら「アメリカ大使館（極東ＣＩＡ本部）」と在日系「自民党」による「小室（Kim）圭天皇陛下」は、秋篠宮の長男の「悠仁親王」が成人になるまでの臨時天皇の形で、秋篠宮が持つ「皇位継承権」で押し切られる筈だった。

茹で蛙の日本人のほとんどは、一部の抵抗はあるものの黙って従うしかなく、実際、安倍（李）晋三の射殺が無ければそうなったはずで、だから皇祖神（天照大神）は日本人のほとんどを、預言の「蘇民将来」の不信心者「古丹（こたん）」として、疫病（新型コロナワクチン接種）の遅延死により、生存期限が切れる2024年でほとんど一掃することになる。

それを酷い仕打ちという論理は通用しない、なぜなら安倍（李）晋三と「統一教会」は一心同体以上の朝鮮民族の関係で、自民党自体が地方を含めて半島の「統一教会」と一蓮托生の関係にあり、骨肉までが癒着していたにもかかわらず自民党を選びつづけたのは日本人だからである。

「国政選挙」「地方選挙」も「統一教会」が裏で仕切りつづけた中、選挙を放棄しつづけた膨大な数の有権者達も、選挙をしないことでの「不作為の罪」により、在日支配の自民党の天下が盤石となったからだ。

そこを完全に理解しておかないと、たとえ2024年を生き残っても、「ディストピア（dystopia）」に突入した日本で生き抜くことは出来なくなり、「サバイバル・テキスト」も無駄になるということだ。

さらに言うなら、バイデンは一時棚上げにしただけで、臨時天皇に在日朝鮮人が成ったら、その直後、ヤ・ゥマトのレガリアである「ユダヤの三種の神器（マナの壺・アロンの杖・十戒石板）」と「本神輿（契約の聖櫃アーク）」を、緊急帰国した小室（Kim）がイスラエルへ返す詔（みことのり）を発布、横田基地の軍用輸送機でイスラエルに持ち去られる事態は変わっていない。

こうなるまで、自民党を選びつづけた地方の老害、都内の自民党支持者、さらにそれを上回る投票放棄者により、自民党に利を与え続けた「古丹」は一掃される‼

ビル・ゲイツ製母型ゲノム遺伝子操作溶液接種者は、2024年まで加速度を上げながら悶絶死するが、「ファイザー」の副社長で〝遅延死ワクチン〟を開発したマイケル・イェードン博士が命を賭けて警告していた事実をとっくに忘れただろう‼

彼は「ファイザー」の背後にいる「新世界秩序（New World Order）」と、それを掲げる「パワーブローカー（Power broker）」の存在を主張したため、日本人の多くはイェードンを頭のおかしな陰謀論者として無視した‼

［イェードン発言］

●バイオテクノロジーは一度に何十億もの人を殺す道具として無限の方法を（パワーブローカー）に提供しました‼

●優生学の科学者たちは権力のテコ（ゲノム技術）を手に入れた以上、今後どんな恐ろしい展開が待ち受けるか予測すら不可能で、今の段階で間違いなく言えるのは、ワクチンの定義にも入らないｍＲＮＡ溶液を打つ必要は全くないということです!!

パワーブローカーの資本・資金・金融の支配下にある国の政治家、医療関係者は、接種後に発生する副反応（副作用）と同じ症状が他の理由でも起きるため、当局としてワクチンと事象の関係を否定でき、（マスゴミと手を組めば）膨大な数の死者数も隠すことができる!!

●仮に私が世界人口の90～95パーセントを排除しようとしたら、私自身がするだろうことは正に今の（バイオ技術で合理的に大量殺戮する）方法です!!

●接種したらほぼ3年で死亡します。接種者は人生を全うすることはありません!!

そのつけが、２０２４年に殆どが死ぬ日本人の全財産の〝争奪戦〟で、ウクライナを含む米英の富裕層による、日本資産の前倒しの青田買いである。

欧米のヘッジファンドと白人富裕層による〝日本資金・資産の食い合い〟が小泉（朴）

政権から、安倍（李）政権に引き継がれ、岸田（李）政権で一気に加速、日本を支配する横田基地のアメリカ軍「日米合同委員会／ＪＵＪＣ（Japan-US Joint Committee）」が主導する命令通りに在日シンジケートが協力、もうすぐ殆どいなくなる日本人の資金・資産を、アメリカに合法的に手渡すだけである!!

Part 2

コリアＪＡＰＡＮのシステムを理解しないと日本の「ディストピア」を生き残ることはできない!!

昭仁（あきひと）陛下の生前退位がコリアJAPANの完成を寸前で阻止した⁉

今の日本は、「パワーブローカー」のイギリスのロスチャイルドと、アメリカのロックフェラーの策略通り、在日支配の「自民党」による「ディストピア（dystopia）」の完成まで後一歩の処まで来た。

「パワーブローカー」の代行者は、アメリカの傀儡（かいらい）の「自民党」ではなく、日本の支配者はダグラス・マッカーサー以降、日本に進駐するアメリカ軍（横田基地）で、さらに言えば「ペンタゴン（アメリカ国防総省）」が、東京の「アメリカ大使館（極東CIA本部）」を従える、アメリカでは考えられない「シビリアン・コントロール」無視の特殊支配体制で成っている。

その「横田基地」のアメリカ軍高官らが、隔週で霞が関の在日高級官僚を呼び寄せ、都内で命令を下すのが「日米合同委員会」で、在日支配の「自民党」と半島系の「統一教会」が事を行い、日本の有権者から得た圧倒的多数の議席数で法案化するのが今の日本の姿で、K系の「創価学会」の公明党も協力している。

この「コリアJAPAN」の仕組みを理解しないと、日本の「ディストピア」を生きる「サバイバル・テキスト」は只の「豚に真珠」と化してしまう。

終戦直後の日本を支配した「GHQ」の下部組織「CI&E（民間情報教育局）」が作成した「WGIP（戦争についての罪悪感を日本人の心に植え付けるための宣伝計画）」と、「在日特権」「在日就職枠」「特別永住権」「通名制」で、在日朝鮮人を全ての日本のTOPに置いて日本人を支配するシステムが完成した姿が「コリアJAPAN」である。

さらに言えば、日本に「三権分立」は無く、あるのは「日米合同委員会→霞が関→自民党→奴隷（日本人）」の上意下達の「ヒエラルキー」だけで、もし日本人が力で逆らえば「警察」、特に「機動隊」が出動して一気に鎮圧、在日が支配する「検察」「裁判所」が一掃して終わる。

なぜなら「警察庁長官」と「検察庁検事総長」は在日しかなれないからである!!

政界も同じで、「自民党」の最大勢力の在日グループ「清和会」の目的が、日本の「王」に、岸（李）信介と同じ李氏朝鮮の血を引く（故）安倍晋三が成り、一億総白痴の茹で蛙（日本人）から得た圧倒的議席数で〝永久総理大臣〞を法案化、極東アジアの「李氏朝鮮復活」で「コリアJAPAN」「韓国」「北朝鮮」の三位一体で日本人を奴隷として従属させることが朝鮮民族の夢だった!!

茹で蛙は信じないだろうだろうが、2019年2月28日、安倍が国会で発言した「私が国家ですよ（朕は国家なり：ルイ14世）」を現実化する〝日本の王〟となり、天皇家を在日の秋篠宮が支配して大規模に祝うのが「コリアンピック2020」だった。

「コリアンピック2020」の「五輪エンブレム」も、在日デザイナーの佐野研二郎の「五輪エンブレム盗作疑惑」が勃発、佐野の事務所「MR_DESIGN」のHPネームサーバーが日本人を蔑む「zyappu（日本人jappuクソ野郎）」で、佐野の反日発言も過去に多くあり、サーバーの「zyappu.com」のレジストラはアメリカの「NETWORK SOLUTIONS, LLC.」の保有するドメインだが、会社名「テコラス株式会：Techorus Inc.)」は、株主構成が「NHN PlayArt株式会社（100%）」の子会社で、そのホスティングサーバーが「韓国資本」と判明している。

当時の天皇昭仁（あきひと）陛下の「生前退位」がなかったら、半島の血が入った秋篠宮が天皇文仁（ふみひと）陛下となり、世界中に高らかに「コリアンピック2020」の開会を宣言、奴隷の日本人どもが運ぶ聖火を国立競技場から、在日系の「フジテレビ本社ビル／FCGビル」の夢の大橋に設置された聖火台（青瓦台）に移され、全競技の勝利者に送られるメダル授与も、コリアンのローマ字読み「KORI-SHOW PROJECT」を表題にする、山口壮大という在日デザイナーのチマチョゴリ服が使われ、世界中が朝鮮民族の日本人支配を観たことになる。

ところが、徳仁(なるひと)陛下が「生前譲位」で皇位を継承、安倍（李）晋三が暗殺で姿を消したため、「パワーブローカー」は秋篠宮から小室（Kim）圭に主眼を移し、プーチン大統領の「ウクライナ侵攻」で時機を逸した徳仁陛下暗殺を、ビル・ゲイツ製母型ゲノム遺伝子操作ワクチン接種で日本人の1億が消え去る２０２４年まで待つことになる……プーチン大統領とロシアが思う以上に手強いからだ。

すると、「熱田神宮」（愛知県名古屋市）に保管される「草薙剣(クサナギノツルギ)（アロンの杖）」が、三重県の物部系伊勢神宮の「伊雑宮(いざわのみや)」に移譲されるのを待ち、「伊勢神宮（内宮）」の「八咫鏡(ヤタノカガミ)（十戒石板）」＆「本神輿（契約の聖櫃アーク）」と、「伊勢神宮（外宮）」の「八尺瓊勾玉(サカニノマガタマ)（マナの壺）」を、アメリカ海兵隊とイスラエル公使が一気に略奪する方が早いと作戦を切り替えた。

すると、天皇徳仁陛下は、２０２１年7月6日にビル・ゲイツが仕掛けた「遅延死毒液（ワクチン）」を接種したため、よく生きても２０２４年で死亡するので、皇位継承権が秋篠宮なのでやり易くなる。

しかし、本来2カ月後に2回目接種する常識から、コロナで延期した「コリアンピック２０２１」の開会式、２０２１年7月23日では、世界中のＶＩＰと挨拶する立場ではとても間に合わず、陛下は宮内庁の指示で実際は接種しなかったとされる。

「統一教会」に自民党が約束した「コリアＪＡＰＡＮ」が完成した折、大和民族無き皇室は意味を無くし、「神道」も「自民党」が超法規的措置で消し去り、代わって「統一教会」を〝日本の国教〟とする約束が果たされる筈だったのだろう。

終戦後の日本人は、「ＷＧＩＰ（戦争についての罪悪感を日本人の心に植え付けるための宣伝計画）」により、ダグラス・マッカーサーを日本の救世主と祀り上げ、アメリカ大統領選の勝利を祈願して「羽田空港」まで押しかけて名残を惜しんだ姿を見れば一目瞭然で、何でもアメリカのいうことに従ってきた。これは「遅延死ワクチン」を次々と接種した今の日本人の姿が重なってくる……。

最小限このあたりの知識がないと、この先を生き抜くための「ディストピア（dystopia）アサバイバル・テキスト!!」を読んでも、ほとんど意味がない!!

dystopia

ウクライナの連帯保証人となった日本は、こうして米国（ロックフェラーのＩＭＦ）に併合される⁉

ロシアの攻撃を受けるウクライナが、長引く戦争で敗北、債務不履行の「デフォルト」に陥った場合、日本が「連帯保証人」となり、ロスチャイルドが支配する「世界銀行」の損失を、利子を含めて全額負担する仕組みになっていることを、ロシア政府系メディア「ＳＰＵＴＮＩＫ（スプートニク通信）」が明らかにした。

そのウクライナに対し、最初から援助を表明していたロスチャイルドのイギリスと、ロックフェラーのアメリカは、尻込みするドイツ、フランス、イタリアの尻を蹴飛ばし、ウクライナが負けたら次はお前たちの番と脅かし続けた。

その結果、西側各国が援助する砲弾、弾薬、最新兵器の類は、一部を除いてタダではなく有料で、２０２３年６月から始まったウクライナの東部と南部の「反転攻勢」も、ロシア軍の鉄壁の防衛ラインを崩すことが出来ず、反転攻勢２週間で援助された西側の武器の２割以上が消滅、地雷原も突破できずに足踏み状態が続く中、ロシア軍の砲撃と地対地、空対地ミサイルを雨霰と受けている。

2023年7月21日、プーチン大統領は自国の「安全保障会議」の席で、「今はまだ完全な結果が出ていないが、西側からウクライナに供与された戦車やミサイルの類は殆ど役に立つ前に破壊された。重要なことはウクライナ軍の予想を超える多大な被害で、今の段階でウクライナは何万人もの戦死者を出している!!」と報告した。

2023年7月16日、ウクライナが一年ぶりに攻撃した「クリミア大橋」の損壊は、爆発規模がそれほど大きくなく、すぐに修復される規模だが、ロシアの「国家反テロ委員会」は、「ウクライナ軍による2隻のドローン艇による攻撃だった」と発表、ウクライナ側も自軍の成果として発表した。

結果、港湾都市オデッサなど各所で製造されたドローン艇は、ロシアが許可した小麦を輸出する「黒海輸送路」を通るウクライナ貨物船から放たれた可能性が出てきたことと、アメリカやイギリスの兵器が同じ「黒海輸送路」を戻りの貨物船に乗せてウクライナに送られているとし、7月19日、ロシア国防省は「黒海でウクライナの港に向かう全ての船舶は軍事物資を輸送する可能性があるとみなす」と公表した。

そんな中、前述の日本への暴露があり、日本が敗北したウクライナの全借金を利子を含めて全額支払う先は、「IMF（国際通貨基金）」と「IBRD（国際復興開発銀行）」の

「ブレトンウッズ機関」の枠組みの中、ウクライナ融資の主な負担を担う「IMF（国際通貨基金）」になる。

「世界銀行グループ」は、「IBRD（国際復興開発銀行）」「IFC（国際金融公社）」「IDA（国際開発協会）」「ICSID（国際投資紛争解決センター）」「MIGA（多数国間投資保証機関）」の5つの国際機関で構成され、ここで連帯保証人になる意味は、返済する最終責任が赤ん坊を含む日本人一人一人となる!!

ウクライナの最悪の状況は既に明らかで、2022年8月12日、NYとロンドンに拠点を置くアメリカの格付け会社「S&P（S&P Global Ratings）」と「フィッチ・レーティングス（Fitch Ratings Ltd）」が、ウクライナの外貨建て格付けを、部分的デフォルト（債務不履行）を示す「SD（選択的デフォルト）」「RD（制限的デフォルト）」を引き下げ、債務再編は困難と判断し、国債の格付けも「S&P」が「CC／C」をデフォルトに等しい「SD／SD」に引き下げ、「フィッチ」もウクライナの長期外貨建て格付けを「C」から「RD」に引き下げている。

さらに、ウクライナの「マクロ経済」「財政困難」による「自国通貨建て債務」も返済が厳しくなったとし、「自国通貨建て格付」けも「Bマイナス／B」から「CCCプラス／C」に引き下げられた。

既に日本の借金は1200兆円を超え、赤ん坊を含む日本人一人の借金は1000万円を超えると「財務省」が公表している……。

が、1200兆円は日本国民が日本政府に貸している国内借金で、「財務省」が何故こんな大嘘を日本人に信じ込ませようとしているかだが、「横田基地」のアメリカ軍の高官達が都内で隔週毎に行う「日米合同委員会」の席に、他の省庁関係者の在日TOPと〝財務省大臣官房審議官〟の在日を呼びつけていることと関係する。

東京の「アメリカ大使館（極東CIA本部）」が持つ星条旗に、ハワイ州の星が日本の富士山のバージョンがあり、そのことから日本を支配する「ペンタゴン（アメリカ国防総省）」の作戦地図に、日本は独立国ではなくアメリカの「自治領」か「属国（植民地）」で、既にハワイ州との〝日米併合済〟が戦略になっていると読み取れる。

世界第3位の経済国の日本を、第一位のアメリカが取り込むには、借金を返せない最貧状態の日本をアメリカが救援を名目に併合するしかない。

2022年1月24日、内閣府が2020年の国民経済計算（国民資産）を発表、「国民資産」は日本全体の日本総資産を表し、日本の総資産は個人、企業、金融機関、政府、非営利団体の金融資産と非金融資産を合わせた総資産は1京1892兆円で、前年比4・7パーセント増の過去最高となった。

が、アメリカ軍とアメリカ政府が日本を対中戦略、対ロ戦略のATMとして使いまくり、ロスチャイルドがウクライナの連帯保証人を日本にして、ビル・ゲイツ製母型ゲノム遺伝子操作ワクチン接種で、1億人が死に果てた日本の経済復興にロックフェラーの「IMF(国際通貨基金)」が乗り出し、日本の全資産を押さえるように動き始める。

一方、日本の自衛隊員のほとんどが、ビル・ゲイツの仕掛けた「遅延死ワクチン」を接種したため、2024年でほぼ壊滅状態に陥り、ゲノム技術が希薄だった中国とロシアの国民の命は逆に助かることになる。

当然、中国軍とロシア軍の多くは遅延死せず、2024年末に日本の国防はお手上げ状態となり、アメリカとの一体化を在日シンジケートの自民党が願い出て、日本の全資産を領土と一緒にロックフェラーに差し出すことになる……。

自民党と在日シンジケートは、生き残った日本人の更なる奴隷化と監視役としての地位を持ちつづけ、ロックフェラーとビル・ゲイツのために働く地位を維持することになる。

遅延死ワクチンで悶絶死した日本人の遺骸を片付ける者さえも死んでいない中、消防士もいない日本で、アメリカ軍がナパームで次々と爆発類焼させ、物凄い火災の渦が日本中で巻き起こる中、自然沈下した後の片付けを生き残った日本人に強制するのである。

「これがせめてもの同族に対する礼儀だろう恥を知れ」が、在日朝鮮人の典型的な言葉となるだろう。
こんな最悪の日本の「ディストピア」に、果たして「サバイバル・テキスト」などが必要なのだろうか？

dystopia

自民党はもちろん、在日シンジケートの下部組織はこんなにも多く存在する⁉

在日シンジケートが支配する「自民党」の河野太郎デジタル大臣による「マイナンバーカード」が、次々と欠陥が露呈するにもかかわらず強行される理由は、「横田基地」のアメリカ軍による「日米合同委員会／Japan-US Joint Committee」の席で決定しているからである!!

終戦直後、ダグラス・マッカーサーが仕掛けた「WGIP（戦争についての罪悪感を日本人の心に植え付けるための宣伝計画）」遂行のため、在日（後の在日朝鮮人シンジケート）に日本人を監視させるため、毎月隔週毎に霞が関の「法務省」「農林水産省」「防衛省」「外務省」「財務省」の在日TOPを集めている!!

「ペンタゴン（アメリカ国防総省）」の直接支配下にある日本は、「日米合同委員会」の決定が神の声とされ、アメリカ軍と繋がる在日シンジケートの下部組織が以下の通りで、日本人はその下で生かさず殺さずの労働奴隷に過ぎない。

【在日シンジケートの下部組織】

1：気象庁長官が代表の「気象分科委員会」
2：法務省大臣官房審議官が代表の「基本労務契約&船員契約紛争処理小委員会」
3：法務省刑事局公安課長が代表の「刑事裁判管轄権分科委員会」
4：防衛省地方協力局在日米軍協力課渉外調整官が代表の「契約調停委員会」
5：財務省大臣官房審議官が代表の「財務分科委員会」
6：防衛省地方協力局在日米軍協力課長が代表の「施設分科委員会」※
7：総務省総合通信基盤局長が代表の「周波数分科委員会」
8：出入国在留管理庁出入国管理部長が代表の「出入国分科委員会」
9：経済産業省貿易経済協力局長が代表の「調達調整分科委員会」
10：総務省総合通信基盤局長が代表の「通信分科委員会」
11：国土交通省航空局交通管制部長が代表の「民間航空分科委員会」

12：法務省大臣官房審議官が代表の「民事裁判管轄権分科委員会」
13：防衛省地方協力局労務管理課長が代表の「労務分科委員会」
14：防衛省地方協力局安全対策室長が代表の「航空機騒音対策分科委員会」
15：防衛省地方協力局参事官（訓練・安全担当）が代表の「事故分科委員会」
16：防衛省地方協力局在日米軍協力課渉外調整官が代表の「電波障害問題に関する特別分科委員会」
17：国土交通省道路局長が代表の「車両通行分科委員会」
18：環境省水&大気環境局総務課長が代表の「環境分科委員会」
19：外務省北米局審議官が代表の「環境問題に係る協力に関する特別分科委員会」
20：外務省北米局日米地位協定室長が代表の「日米合同委員会合意の見直しに関する特別分科委員会」※
21：外務省北米局参事官が代表の「刑事裁判手続に関する特別専門家委員会」
22：防衛省防衛政策局日米防衛協力課長が代表の「訓練分科委員会」
23：外務省北米局日米地位協定室長が代表の「事件&事故通報手続に関する特別作業部会」
24：外務省北米局参事官が代表の「事故現場における協力に関する特別分科委員会」

25：外務省北米局日米安全保障条約課長&防衛省防衛政策局日米防衛協力課長が代表の「在日米軍再編統括部会」
26：外務省北米局日米地位協定室長&厚労省医薬・生活衛生局検疫所業務課長が代表の「検疫&保健分科委員会」

その内の※6の「施設分科委員会」の下部組織に以下の部会が従っている。

1／水産庁漁政部長が議長の「海上演習場部会」

2／防衛省地方協力局在日米軍協力課渉外班長が議長の「建設部会」

3／国土交通省港湾局長が議長の「港湾部会」

4／国土交通省道路局長が議長の「道路橋梁部会」

5／農林水産省経営局長が議長の「陸上演習場部会」

6／防衛省地方協力局在日米軍協力課長が議長の「施設調整部会」

7／防衛省地方協力局在日米軍協力課整備調整官が議長の「施設整備&移設部会」

8／防衛省地方協力局在日米軍協力課渉外班長が議長の「沖縄自動車道建設調整特別作業班」

9／防衛省地方協力局再編推進室長が議長の「SACO（Special Action Committee on

Okinawa) 実施部会」

さらに※20の「日米合同委員会合意の見直しに関する特別分科委員会」の下部組織に以下の部会が存在する。

1／外務省北米局日米地位協定室長&防衛省地方協力局在日米軍協力課渉外調整官が議長の「軍属作業部会」

戦後、吉田茂が在日朝鮮人に日本を間接支配させる「WGIP（戦争についての罪悪感を日本人の心に植え付けるための宣伝計画）」を受け入れ、その子孫が「自民党」の麻生太郎と思えば、〝日本人の王〟として安倍（李）晋三の「国葬」を岸田首相に強行させた理由が分かるだろう。

2022年7月8日、自衛隊の（元）スナイパーに、屋上テントから軍用エアーライフルと氷結弾による狙撃で暗殺された安倍（李）晋三は、李氏朝鮮の李垠（イ・ウン）の子（安倍晋太郎）が山口県の名家・安倍家に引き取られ、晋太郎に嫁いだ李成桂の末裔の在日の岸洋子の間に出来た朝鮮民族である。

李氏朝鮮一族の素性を終戦直後から調べ上げた「GHQ（連合国軍最高司令官総司令

部)」は、安倍（李）晋三の祖父の岸（李）信介を見つけ、A級戦犯で「巣鴨プリズン」に収監されていた岸を救い出し、後に「アメリカ大使館（極東CIA本部)」が自民党の首相に推して「日米安保条約（改正)」を決行、後に安倍（李）晋三が政界に登場する。

その〝日本の王〟が書き残した『回顧録』に、謎の記述「国が滅びても、財政規律が保たれてさえいれば、満足なのです」から、安倍は日本をアメリカに売り渡す「日米併合」を承諾、その際の日本人の全資産、全日本企業資産、国家財産のデータがあればロックフェラーに渡せると考えていたことが分かる。

日本人はデイビッド・ロックフェラーの遺言により、合法的にビル・ゲイツが仕掛けた「コロナ（ゲノム遺伝子操作）ワクチン」と、次の「コオロギ（ゲノム遺伝子操作巨大コオロギ）食」で殺すことになったからだ。

2024年にほとんどが消え去る日本人と、日本大企業の総資産（1京1892兆円以上）を、乗り込んで来るアメリカのロックフェラーの「IMF（国際通貨基金)」と、イギリスのロスチャイルドの「世界銀行（WORLD BANK)」「BIS／国際決算銀行（Bank for International Settlements)」が合法的に略奪することが、ハワイ州と併合する「日米併合」で、在日の岸田首相もそれを了解している……。

1億近い遅延死ワクチン接種者は、合法的に奈落の底の「ディストピア（dystopia）」を目指し「マイナンバーカード・データ」を「イルミナティ／Illuminati（Late-day）」に残して消え去るのである!!

神道も天皇も不要とする創価学会は「日本型モルモン教会」である!!

政界で法制化と実行を担当する「清和会」を中核とする在日シンジケートの「自民党」は、憲法で「政教分離」を定めた「憲法第二十条第一項（後）」にある「如何なる宗教団体も、政治上の権力を行使してはならない」定めが、自民党協力者として東京の「アメリカ大使館（極東CIA本部）」が「内閣法制局」に命じ〝問題無し〟とさせた。

「創価学会」を実質的に支配していた池田大作は、朝鮮名「ソン・テチェク」で、「統一教会」を興した半島系の文鮮明と同じ朝鮮民族である。

池田の父は「日韓併合」後の「太平洋戦争」直前に半島から渡った男で、日本国内に先祖の墓は無く、日本人を証明できる江戸時代からの寺の「過去帳」も無ければ「系図」もない。

「Ikeda SGI 会長スピーチ『来光』の和光新聞」（2005・5・20　637号）で、池田は「小国（日本）の倨傲、大恩人の貴国（韓国）を荒らし」と記し、豊臣秀吉の朝鮮出兵に対しても、朝鮮から仏教を初め様々な文化的恩恵を受けた大恩を踏みにじる侵略と非難、日本が大恩を受けた朝鮮を裏切ったのは半島への劣等感の裏返しとし、韓国と全く同じ思考パターンを展開している。

それこそが、ダグラス・マッカーサーがアメリカ帰りの李承晩（リ・ショウバン）と密約した基本構造、「WGIP（戦争についての罪悪感を日本人の心に植え付けるための宣伝計画）」が根底にある証拠となる。

池田は全国の在日に向け、「わが同胞よ、日本から迫害を受けてつらかったろう。これからは我々と協力して日本に一泡吹かせてやろうではないか」と呼びかけ、全国の在日を積極的に取り込むことで瞬く間に「創価学会」を巨大化させていく。

さらに、創価学会名誉会長となった池田は、韓国に建立した「反日の碑」に、日本を「東海の小島」「小国」と愚弄（ぐろう）し、韓国を「数多の文化文物をもたらし尊き仏法を伝え来た師恩の国」とし、さらに「隣邦を掠略せず天地を守り抜く誉の獅子の勇たぎる不屈の国」と表現し、今の韓国人の中枢的思考を形成する。

学会機関紙「大白蓮華」（2000年3月号）に掲載された池田の人生記録に、「父が韓国語を教えてくれた思い出がある」「私の少年・青年時代に多くの在日韓国朝鮮人の方々との出会いがあった」と堂々とカミングアウトしており、「韓日文化交流」という名称で判明するように、池田は「韓」を「日」の前に必ず置いている。

「創価学会インターナショナル」が発行する機関紙でも、「竹島は韓国の領土」と記述する創価学会・公明党は、与党の資格などない筈が、東京の「アメリカ大使館（極東ＣＩＡ本部）」が庇護する中、公明党の存在が「統一教会」の宗教法人剥奪に慎重の姿勢をもたらし、今も「統一教会」を守る役目を果たしているようだ。

「創価学会」の基本は「日蓮宗」で、日蓮自身が帝（みかど）を己の日本支配の道具としか考えていなかったふしが多々あり、一般民衆への布教よりも、支配階級に取り入り、最終的に帝（みかど）に布教することで日本を支配しようと考えていた。

これを「国家諌暁（こっかかんぎょう）」又は「国主諌暁（こくしゅかんぎょう）」といい、当時の「末法思想」を利用して「神道」は何の役に立たないと断じ、「神道」の長の帝も最終的に不要と考えた。

これで判明することは、「統一教会」は天皇を懺悔（ざんげ）させ「自民党」の圧倒的議席数に物を言わせ、アメリカ軍との密約で、天皇徳仁（なるひと）陛下の暗殺を機に、「神道」を追放、日本の国教を「統一教会」にする時が迫ったとし、自民党の圧倒的議席数があれば「創価学会」公明党も不要となり、池田大作亡き今（創価学会は生きていると主張してきた）、公明党との関係を改めようとしていた。

それでも池田自身が若い頃にアメリカ西海岸で「モルモン教会（末日聖徒イエス・キリスト教会）」と遭遇、「モルモン教会」の組織図や教義を伝授され、そっくりコピーした創価学会は〝日本型モルモン教会〟といえる。

「モルモン教会（末日聖徒イエス・キリスト教会）」は世界でも稀な〝アメリカ政府直属のキリスト教〟で、「信仰箇条（第12条）」に「わたしたちは、王、大統領、統治者、長官に従うべきこと、法律を守り、尊び、支えるべきことを信じる」とあるように、アメリカの「大統領」「国務長官」「CIA長官」らに従う明確な〝国家従属型キリスト教〟である。

その「モルモン教会」が「アメリカ政府」と組んで、日本で「統一教会」「創価学会」と行動をともにすれば、あくまで最悪の場合と限定させてもらうが、日本を更なる「ディストピア（dystopia）」に堕とす危険がある……。

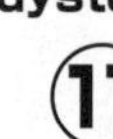

流出は当たり前！　厚労省は501万件の個人情報を中国の「大連信興信息技術有限公司」に丸投げしていた!!

河野太郎デジタル大臣は、何が何でも「マイナンバーカード」と「健康保険証」「運転免許証」を統合、さらに郵貯や銀行と繋がる「キャッシュカード」と統合、さらに各種「クレジットカード」と統合しようとしている!!

これを2023年内に遂行しなければ、在日シンジケートはアメリカの保護から排斥され、2024年度中にほぼ全ての「ワクチン接種者」が悶絶死した後、日本列島での特権階級（戦勝国民）の地位も剝奪、悶絶死した日本人と日本企業が残す莫大な資産をアメリカに進呈する「日米併合」の場にも同席が許されなくなる。

ロックフェラーの遺言に協力出来ない場合、終戦直後にダグラス・マッカーサーにより組織化された在日シンジケートは、アメリカの合理主義思想によって無能とされ、ハワイ州と併合した日本列島に残り、様々な特権が約束される〝名誉アメリカ人〟の称号も失うのである。

中国系とされる河野太郎は、アメリカ軍主導の「日米合同委員会／Japan-US Joint Committee」の場で決定した「マイナンバーカード」と「健康保険証」の連結で、「ファイザー」「モデルナ」「アストロゼネカ」等のビル・ゲイツ製母型ゲノム遺伝子操作ワクチンを、いつ、どこで、何度接種したか、そしていつ入院し、そして死んだか等のデータを、ロックフェラーに報告、遅延死ワクチンを接種していない日本人を割り出すためにも使われる。

２０２４年にはロックフェラーの息のかかった「日本版ＣＤＣ（疾病対策センター）」を中心に、全ての非接種者を炙り出し、彼らの体内で冬眠増殖した新型コロナが、宿主を生かしながらワクチン接種者にのみ襲い掛かるシステムが解明、多くのワクチン接種者に致命傷を与えたとし、非接種者はその罪を含む強制接種を断行するのである。

２０２４年上旬、老人の箪笥預金を銀行に戻す目的で「新札切り替え」が断行され、旧札は○カ月以内に切り替えねば価値が半減すると脅す可能性がある。

一方、銀行の「キャッシュカード」とも連結して個人の資産を把握、２０２４年にほぼ1億人が遅延死ワクチンでいなくなった後、個人資産の全てを自民党の「超法規的措置」で日本政府預かりとなり、アメリカ軍の「日米合同委員会」の決定で「財務省大臣官房審議官」を経て「財務省」が強制徴収する。

そのための「改正マイナンバー法」を自民党が成立させた2023年6月2日以降、「マイナンバーカード」のトラブルが一気に激化、「健康保険証」と一体化した「マイナ保険証」に他人のマイナンバーが登録、マイナンバーと紐づけた「公金受取口座」が他人の家族名義、他人の年金記録が自分の個人情報に紐付け、別人の顔写真がカードに貼られた等々、全く手が付けられない有様と化した!!

当然、「マイナンバーカード」と「キャッシュカード」を連結すれば、振り込まれる「年金」とも直結するため、間違いがあったり、他人の口座と入れ替わったりしたら大変だが、外部から中に入られたらさらに大変な事態になる。

案の定というか、中国にマイナンバーと年金情報が「大量流出」していた事実が発覚、大慌ての「厚労省」の在日TOPは自民党と一緒に事態の隠蔽を図り、「日米合同委員会」の決定遂行の邪魔になるくらいなら、国会での偽証も公文書偽造もやってのけたのである。

事件は2017年12月31日に起きた、「日本年金機構」の法令等違反通報窓口に2通のメールが届いたことが切っ掛けで、速攻で厚労省のTOPが隠ぺいを図った。

メールの中身は、「最近中国のデータ入力業界では大騒ぎになっております。『平成30年分公的年金等の受給者の扶養親族等申告書』の大量の個人情報が中国のネットで入力されています。普通の人でも自由に見られています。一画面に受給者氏名、生年月日、電話番号、個人番号（マイナンバー）、配偶者氏名、生年月日、個人番号、配偶者の年間所得の見積額等の情報が自由に見られます。

誰が担当しているかはわかりませんが、国民の大事な個人情報を流出させ、自由に見られても良いものでしょうか？　ネットからハードコピーを取りましたが、アップできませんでした。残念です。対策が必要と思います。よろしくお願い致します」という丁寧な指摘だった。

23分後、通報者は「念のため、（アップできなかった）ハードコピーの情報を送りいたします（原文のまま）」と前書きした後、年金受給者の氏名、マイナンバーなど15項目にわたる個人情報を全て書き写した2通目のメールを送信している。

2017年時点で、厚労省は、501万件の個人情報を中国のデータ処理会社「大連信興信息技術有限公司」に丸投げ（正確には再丸投げ）していたのである!!

今や四面楚歌（しめんそか）の河野デジタル大臣は、別に慌てる顔もせず、堂々海外視察を名目に国会をトンズラ、ほとぼりが冷めたら再び上から目線で居直った。

アメリカ政府は日本人の「人の噂も七十五日」「長い物には巻かれろ」「寄らば大樹の陰」「触らぬ神に祟りなし」「喉元過ぎれば熱さを忘れる」の性癖を全て熟知している。

ロックフェラーには「マイナンバーカード」の多少のエラーや間違いなど、2024年に殆ど死に絶える日本人が困ることなどどうでもいいことで、「日米合同委員会」での決定事項の推進を、在日支配の「自民党」に様々な〝餌（えさ）〟を巻いてでも押し切るよう命じている!!

dystopia

有色人種はいくら殺してもかまわない！　アメリカの文明観「マニフェスト・デスティニー」を見抜かなければ、生き残れない!!

日本人はまだよく分かっていないので、何度も申し上げるが、アメリカには一つの啓蒙思想があり、それが有色人種をこの世から消し去ることを良しとする「マニフェスト・デスティニー（Manifest Destiny）」の存在で、アメリカとイギリスが共有している。

古代ギリシアを発祥とする白人文明は、ローマ帝国で開花した後、太陽が沈まぬ帝国のイギリスへ移動し、そこから新大陸のアメリカへ流れ、そこに棲むカラード（有色人種）を西部開拓の名の下に駆逐、さらに西に向かって太平洋を越え、日本を原爆2発で壊滅させ、その後、ベトナムで200万人以上を大殺戮した後、イラク、アフガニスタンのイスラム系有色人種を虐殺、最後に、中国人を皆殺しにした後、白人の神イエス・キリストの聖地イスラエルで凱歌を上げる「アメリカ的文明観」である!!

モルモン教徒が西部開拓への道を開き、カルフォルニアでモルモン教徒が金を発見したことで「ゴールドラッシュ」が起き、西部へ向かう白人の邪魔をするインディアン（ネイティヴ）を殺戮したアングロ・サクソンの、「有色人種を皆殺しにしても、白人の神イエス・キリストは喜ばれ、その行為を神の業として赦される」という啓蒙思想は、日本人から見たら人種差別も甚だしい「カルト思想」と言える。

「マニフェスト・デスティニー」を最初に唱えたのは、「デモクラティック・レビュー」誌の編集長ジョン・オサリヴァンで、インディオとスペイン系が混じったヒスパニック系メキシコ人をテキサスから追い出し、テキサスをアメリカが併合する1845年に登場した。

その思想に共感したNYの新聞『ニューヨーク・モーニング・ニュース』が「マニフェスト・デスティニー」を掲載、それを機にアメリカ人の使命が〝西方拡大〟となり、神による「明白なる使命」「明白なる運命」「明白な天命」「明白なる大命」がアメリカ人の絶対的思想となった。

つまり黄色人種の日本人は、広島と長崎の「原爆投下」を見れば分かるように、黄色い猿はインディアン同様いくら殺しても構わず、太平洋を挟んだ両端にいる有色人種を、アメリカが好きにしても構わないとなる。

それは「アメリカにとって日本人は南極にいるペンギン」程度で、必要が無くなれば殺し、残されたペンギンの領地はアメリカの物にして構わないというものである。

事実、アメリカ軍には災害地や戦乱から救出する一般人リスト「トリアージ」があり、優先順位第一位は「アメリカ国民」、第二位は「アメリカ永住権（グリーンカード）保持者」、第三位～六位は「アングロ・サクソン系英語圏ファイブアイズ（イギリス、カナダ、オーストラリア、ニュージーランド）」で、有色人種の日本人の優先順位は第七位以下である。

2023年4月のアフリカの「スーダン内乱」で、現地に取り残された二人の日本人を救出したのはアメリカではなくフランスで、今も在日アメリカ軍機はアメリカ国内では飛行禁止の市街地でも日本ではお構いなく飛び回り、重大事故が起きても「日米地位協定」で日本人は何一つとして文句が言えなくなっている。

これは独立国ではなくアメリカの自治領「プエルトリコ」クラスで、実際、アメリカ自治領の条件は「アメリカ軍基地がおかれること」「国内選挙はできるが、アメリカ国内選挙（大統領選など）の投票権がないこと」で、全く日本とプエルトリコは同じである。

東京の「有楽町電気ビル北館」の20階にあった「日本外国特派員協会」のレストランに、

長い間〝不思議な星条旗〟が掲げられていた。

それは「アメリカ大使館（極東ＣＩＡ本部）」から贈られた親愛の星条旗で、金糸で織られた豪華な星条旗の50州目のハワイの位置に、何と「☆」ではなく「富士山」が縫い込まれてあった!!

飛鳥昭雄が各所でこのことを暴露した結果、その星条旗はどこかへ姿を消した。

このことで何が分かるかというと、「ペンタゴン（アメリカ国防総省）」の出先機関である「横田基地」と都心の「アメリカ大使館（極東ＣＩＡ本部）」は、日本をハワイ州と併合したアメリカ領としていることだ。

戦後体制を冷静に見ていた評論家・大宅壮一が懸念した通り、日本人は「一億総白痴（茹で蛙）」と化し、在日が支配する「自民党」のあとをついて回るだけのペンギンとなった……。

電気自動車へのシフトもガソリン車廃止もぜんぶ日本車を市場から締め出すための欺瞞にすぎない!?

日本人は在日シンジケートが支配するＴＶ局に洗脳され、ＥＵ（欧州連合）をエコ先進国と信じ込まされ、ＥＵのような「脱炭素社会」に向け日本も見習わなければならないと信じ切っている。

ところが、日本のＴＶ局が流す海外情報はＦＡＫＥが多く、２０３５年までに脱炭素に向けガソリン新車販売の全面廃止を打ち出したＥＵを「エコ先進国」とするが、実態はそんな美しいものではない。

ＥＵは「ＣＯ²ゼロ」を目指し「エコカー（ＥＶ）」へ移行するが、その背景にあったのは、ＥＵのエコ・ディーゼルエンジン車「クリーンディーゼル」の捏造がバレたことにある。ハイブリット（ＨＶ）など高いエコ技術の日本車に駆逐される事態を回避するためと、日本車を締め出す目的で法案化したのが「ガソリン車新車販売全面廃止法案」だった。

全ての始まりは、２０１５年のドイツの「ＶＷ（フォルクスワーゲン）」の「クリーンディーゼル」が排ガス不正の常習犯で、規制対象の「NOx（窒素酸化物）」の排出量を、室内での測定試験時のみ抑える違法ソフトを搭載、路上走行では規制値の40倍ものNOxを放出していた事実がバレてしまった。

それから2年弱の間、ワーゲン以外にもドイツ自動車大手の不正疑惑が相次ぎ、日本勢が得意な「フルHV」は避け、「マイルドHV」でドイツ完成車5社と部品メーカーが協調、急場をしのぐ間に、開発資源を将来の「EV」と「PHV」に集中、さらに出遅れているトヨタが「EV」へ舵を切る寸前での追い落としが「ガソリン車新車販売全面廃止法案」の底意だった。

日本のガソリン車の技術に駆逐されるのを恐れたEUだが、そもそも「電気自動車」自体がエコではなく、使われる電気の大半が化石燃料で生み出す「火力発電所」で、全面EV車にしたら最後、風力発電、太陽光発電で総電力を賄えるわけがない。無茶苦茶な計画であり、停電がないことも前提になっていた。

案の定、2022年2月24日、プーチン大統領による「ウクライナ侵攻」が勃発。アメリカのバイデン大統領が打ち出すロシア制裁への協力から、EUは安価に手に入ったロシア原油やガスが入手できなくなる緊急事態に突入した。

特にEU最大の経済国ドイツは悲惨で、ロシアとドイツを結ぶ海底天然ガスパイプライン「ノルドストリーム1&2」が、バイデン大統領の指示で爆破され、それをピューリッツアー賞を受賞した調査報道記者シーモア・ハーシュが暴露したが、バイデンはずっとプーチンがやったと吹聴していた。

結果的に、EUは慢性的電力不足に陥り、苦し紛れのEUはEV一辺倒の方針を転換、ドイツ車の意向も受け、トヨタ締め出しの意図で、水素と二酸化炭素（CO^{2}）を原料にした「e-fuel（イーフュエル）」と呼ばれる合成燃料を使用する新車に限りガソリン車の販売を認めるとした。

が、既に完成しているトヨタ等日本のHV技術を追い出してもうまくいくわけがなく、実際、「イーフュエル」はガソリンより高価で、一般ユーザーが手軽に買える燃料ではない。

にもかかわらず、何もかも国連、アメリカ、EUに従う日本人は多くいて、そういう日本人は「茹で蛙」以外に「井戸の中の蛙」と言っても過言ではない。

最近、EU内で絶大な力を持つ女性で「欧州委員会委員長」のフォン・デア・ライエンが、ウクライナに単身赴いてゼレンスキーと会談し、ウクライナのNATO加盟に尽力しているが、今、彼女を巡って「ファイザー社」との間で交わした「ワクチンスキャンダル」が勃発している。

欧州委員会の委員長は、ＥＵ大統領のような絶大な権力を持つが、その裏はどうやら腐り切っているようだ……。

ＥＵという組織は、国が選挙で選べるのは「欧州議会」の議員だけで、重要ポストは皆、〝利権〟と〝根回し〟で決まる〝非民主主義体制〟で、国民が選んだ議会議員より、選ぶことが出来ない「欧州委員会」「欧州理事会」の方が強い権力を握っている。

そのフォン・デア・ライエンが何を仕出かしたかというと、何の権限もないのに「ファイザー」のＣＥＯアルバート・ブーラと秘密裏に会い、２０２２年、２０２３年分として18億回分のワクチン購入を契約、夫への利益誘導もやってのけ、「欧州検察庁」が動き出している。

日本も同じだが、「欧州委員会」も判で押したようにワクチン価格を公表しない……ＥＵでは殆どワクチンを接種しなくなったにも拘らず、これから先の３５０億ユーロ（５・４兆円）の支払いは狂気の沙汰で、そんな大量購入にもかかわらず、フォン・デア・ライエンは故意に値段を釣り上げた契約を行い、差額を着服したか、横流しした可能性が疑われている。

「ニューヨーク・タイムズ紙」が、「ファイザー製ワクチン」の大量購入に対する値引きどころか逆に1個当たり4ユーロも値上げして買ったという質問に対しフォン・デア・ライエンは無視、ファイザーと交わしたEメールの公開を求めても黙殺している。

さらに「欧州委員会」「欧州裁判所」もそれを黙殺しつづけ、同様にEUのマスゴミも全く無反応で、まるで自民党と護送船団を組むマスゴミと同じである。

こんなEUが、ロスチャイルドとロックフェラーの回し者で内部が構成され、ロシアのプーチン大統領の警告も一切無視してウクライナまで東進した結果、2022年2月24日「ウクライナ侵攻」が勃発した。このような経緯であるから、日本中でマスゴミにより常識化する「ロシア悪党論」「プーチン狂気論」は到底正しいとは思えない。

が、女子供を含む日本人のほとんどが、2024年には阿鼻叫喚の渦の中でバタバタと死んでいくさまは、大人なら自業自得で済むが、子供の場合は哀れでならない。

非接種者を「陰謀論者」扱いして勝手に死ぬ接種者の後始末を、生き残った非接種者がやらねばならないと思うと目眩(めまい)がする。

1億人近い死人に墓を作れるわけがなく、生き残った2千数百万人で、何艘もの巨大タンカーを往復させ、深い海底に遺体を水葬するか、全ての遺体を川に流したり、同時に遺体を山のように積み重ねてガソリンで燃やすしかない。

そうしないと、在日アメリカ軍による「ナパーム弾」「焼夷弾」の投下により、日本中の都市と住宅街が焼き尽くされ焦土と化してしまう。

ゲノムワクチン遅延死殺人計画は、日本の帝銀事件のやり口（人体実験）を模倣したものだった⁉

ビル・ゲイツが「パワーブローカー」のディレクターとなって推し進めた「偽パンデミック」を信じた世界は、最先端ゲノム医療を信じて「ファイザー」「モデルナ」「アストロゼネカ」等の遺伝子操作ワクチンの接種に、治験（臨床試験）を無視して我先にと殺到した。

それも〝複数回接種〟が原則で、1回目接種後の2週間後にもう一度の接種が必要だった……が、現実は次々と変異株が出てくる度に接種を強いられ、オミクロン株で8回目の摂取もしたにもかかわらず、免疫系破壊で感染が止まらない「ブレイクスルー」へと陥っている……。

それは、ビル&メリンダ・ゲイツ財団が人工的に創らせた「COVID－19」で、無毒に近いが感染力だけが異常に強い人工ウイルスだったが、感染しても赤ん坊や幼児も平気だったのは、ビル・ゲイツ自身が感染して死んでしまっては意味がないからだ。

「飛鳥堂」もスタッフ全員が反ワクチンでずっとやり通したが、地球では全く何も起きていないことが我々の体で証明ができた。

これは2段式の詐欺で、ほとんど無害な「ＣＯＶＩＤ－19」は蒔き餌で、本当のパンデミックは「遅延死ゲノム溶液」接種による感染爆発だった!!

このやり口を、ロックフェラーは「ＧＨＱ（連合国軍最高司令官総司令部）」が支配した終戦直後の日本で起きた〝ある事件〟を参考にしていた!!

１９４８年1月26日、東京都豊島区長崎の「帝国銀行（現在の三井住友銀行）」の椎名町支店の閉店直後、白腕章を付けた男が現れ、東京都防疫班の職員と名乗り、行員らに「近くの家で集団赤痢が発生した。ＧＨＱが行内を消毒する前に予防薬を飲んでもらいたい!!」と告げ、「感染者の1人がこの銀行に来ている!!」とパニックに陥れた。

そして、二種類の予防薬を出し、最初の薬をまず自分が飲み行員を信用させ、「歯の琺瑯質を痛めるから舌を出して飲むように!!」と注意した後、16人全員が同時に第1薬を飲んだが、強いウィスキーを飲んだような喉と胸が焼ける感覚が襲った。

その約1分後、第二薬を渡され、苦しい思いをしていた16人は競うようにがぶ飲みした……その後1分ほどで悶え始めると次々と悶絶死した。

毒液を2回に分けて飲ませる〝遅延死〟の巧妙な手口を用いたことが、辛うじて助かった数名の生存者によって明らかになる。

結果、行員12名を毒殺し、現金と小切手を奪った銀行強盗殺人犯は、何食わぬ顔で堂々と逃げ去った。

この時に用いられた毒液は速攻で死ぬ「青酸カリ」ではなく、犯人が一緒に呑んだのはウイスキーのような喉が焼ける液体で、本命は次に飲んだ毒液、内服後1～2分の「遅効性毒物」のため、誰も疑わずに全員が飲むまで効果が現れない代物だった。

警視庁第一課は、「青酸カリ事件」として、北海道にいた画家の平沢真通を逮捕するが、第二課は「登戸（のぼりと）研究所」の伴繁雄が、戦時中に「風船爆弾」に細菌を乗せてアメリカ本土で爆発させる研究を行っていたことに目を付けた。

この研究所は、満州で細菌兵器を開発していた石井四郎陸軍軍医中将とも関係する研究所で、俗にいう「７３１部隊」が開発した、遅延死目的の「青酸ニトリル」に目を付けていたのだ。

捜査線上に九州生まれの男が出てきて、一気に追い込もうとした矢先、突然、上層部からストップが掛かり、以後、警視庁は「青酸カリ」で一本化する。

実は、「帝銀事件」の8カ月前から「ＧＨＱ」が「７３１部隊」の詳細な研究データを入手しており、ダグラス・マッカーサーがワシントンに連絡して、データと引き換えに石井四郎以下全員の免責を求めていたことが分かっている。

当然、石井宅にも「GHQ」が頻繁に訪れ何やら話していたことを妻が証言している。

このことから、「GHQ」は九州生まれの男を突き止め、現物の「青酸ニトリル」も入手したものの、その効果を確かめるための人体実験を必要とし、戦後のどさくさの中で人体実験をすれば、警視庁に捜査STOPを命じたのも「GHQ」という理屈が見えて来る。

あれから70年後、ロックフェラーはビル・ゲイツを使って「帝銀事件」と全く同じやり方で世界中の人間のほとんどを〝遅延死〟させることを実行に移す。

赤痢発生と同じ嘘の新型コロナのパンデミックを一斉にばら撒き、スグに死ぬと仕掛けがバレるため、「遅延死ワクチン」を二度打ちさせることで、気付いた時は手遅となる仕組みも全く同じである!!

おそらく「帝銀事件」の犯人はアメリカ軍に消された筈で、それと全く同じ手口で人類の「ホロコースト」を日本と世界で一気に実行したのである!!

冤罪にもかかわらず死刑を宣告された平沢貞通は、獄中死するまで無罪を訴えつづけたが「最高裁判所」は拒絶、生き残った行員の竹内正子も、平沢は顔が違うと幾ら証言しても無視され、結局最後は全て「GHQ」の思惑通りに進んだ。

アメリカは決して「足長おじさん」ではない……小説家の松本清張は「731部隊」に

通じる事件を「GHQ」が揉み消したと考えていたが、「遅延死ワクチン」が登場した2019年末から2020年に掛けたアメリカの手口を知った今、日本人を使って実行した「帝銀事件」の首謀者は、GHQとなる!!

アメリカが日本人を「マルタ」に使い「青酸ニトリル」の人体実験を行ったのだ!!

最後に、当初、日本人の大多数は平沢貞通を冤罪として同情したが、警察の特高警察顔負けの脅しと執拗な追及で、ついに「私がやりました」という報道が記者たちに流れて一斉報道、「しかし、青酸カリは私の家の一体どこにあったのでしょう?」という平沢の精神的ダメージからも分かるように、全てが警察による誘導尋問だったことが読み取れる。

にもかかわらず、マスゴミが一斉に平沢の過去を追求し、若い頃に嘘をついた話を詐欺として暴き立てた結果、世間は平沢に冷淡となり死刑を待望するようマインドコントロールされていく……正に、今もアメリカが得意とするFAKEと「大衆操作(マインドコントロール)」である。

それが全て「GHQ」の支配下で起き、警察部長がいう上層部の意向と言うなら、それはダグラス・マッカーサー以外の何者でもないことになる!!

今の日本人も、CIAの狙い通りにTVなどマスゴミに操作され、「ウクライナ頑張れ」「ウクライナ、ウクライナ、ウクライナ」の合唱連呼も、アメリカの誘導に乗せられた

「茹で蛙現象」と言っても過言ではない。

そういう人間が2024年以降、仮に生き延びられたとしても、早々に躓くことは明らかで、さらに加速していく現実の中で消え去ることになる……。

Part 3

これが支配者の文化だ！「ショック・ドクトリン＝惨事便乗型資本主義」という傍若無人の経営で根こそぎ略奪していく！

有無も言わせぬ手法！「惨事便乗型資本主義」から「過激市場原理主義改革」へショック・ドクトリンはこうして続いていく……

「国連」を支配するアメリカの「ディープステート（ＤＳ）」は、世界中をパニックに陥れることで、人々を思考停止状態に置き、一気に〝改革〟と称して「ディストピア」へ導いていく。

その資金源は「イルミナティ（後期）／Illuminati（Late-day）」のロスチャイルドが支配する「国際金融ピラミッド」からの天文学的規模の資金で、「我々の世界を変革する／Transforming Our World」という美名の「ＳＤＧｓ（持続可能な開発目標）」に従わない企業、団体、大学、国家には、国際資本や欧米富裕層によるヘッジファンドの資金提供を受けることが出来ないどころか、資金を引き揚げて潰すことを決めている。

世界中の人間を似非パニックに陥れることで、ロスチャイルドとロックフェラーによる「グレートリセット／Great Risetto」を一気に決行し、世界中を超富裕層にとっての「ユートピア／Utopia」へと変革、それを「ニューワールドオーダー（新世界秩序）」と称し、逆らう人間、団体、組織、国を排除する二者選択を迫る。

これが「ショック・ドクトリン（The Shock Doctrine）」の正体で、突発的なテロ、戦争、災害で、人々が茫然としている隙を突き、平時なら批判が強い政策を一気に断行する手法である。米英で発展した資本主義の末期状態を「惨事便乗型資本主義」といい、惨事やテロが大きいほど効果的で、そこにつけ込んで実施する「過激市場原理主義改革」をいう。

これが、アメリカの経済学者ミルトン・フリードマンが唱えた、物事を一気に解決する超経済で、政治と直結させた経済思想として「市場原理主義的改革」として断行、刑務所、警察、軍隊も全て資本主義の下で民営化させ、市場原理で戦争と同時に復興計画も行い、アメリカ政府とグローバル企業が巨額の富を得る新経済学である。

フリードマンの主張は、国に介入させない合理主義の「市場原理主義」で、背景に「巨大金融資本主義」が結託している。

「ウクライナ侵攻」における戦争中に、日本が莫大な資金保証をする「復興計画」が具現化、それが如何にも平和的と欺き、不動産転売と復興プロセスをアメリカの巨大メジャーが独占する。そういうやり方をフリードマンが籍を置いた「シカゴ大学」で始まったため、「シカゴグループ」と言う!!

この超合理主義経済を「マネタリズム（monetarism）」といい、国際金融ピラミッドを中核とするマクロ経済の「マネーサプライ（貨幣供給量）」、及び貨幣供給を行う「中央銀行」の「パワーブローカー」主導の経済学である。

「9・11同時多発テロ」「新型コロナパニック」を演出したロックフェラーのアメリカと、「フォークランド紛争」「ＥＵ脱退：イグジット」を演出したロスチャイルドのイギリスが「ショック・ドクトリン」を多用する。

この「ショック・ドクトリン」の遂行で「イルミナティ（後期）／Illuminati（Late-day）」が目指す「逆ユートピア（Anti-Utopia）」を達成でき、彼らにとれば地球を独占できる「ユートピア（Utopia）」となる。

「国連」はそのための手足というのが正体である!!

数字を改ざんすることで世界中を「ショック・ドクトリン」でパニックに陥れたのが、「新型コロナウイルス（ＣＯＶＩＤ－19）」による「似非パンデミック騒動」で、真の疫病はビル・ゲイツ製母型ゲノム遺伝子操作ワクチンだった。

おかげで世界人口80億４５００万人中、遅延死ワクチンの接種数は２０２１年で世界人口の約半数（47パーセント）に達し、ロスチャイルドとロックフェラーが目標とする２０２４年度中にほとんどが死滅することになる。

さらに、国連を介して「SDGs詐欺」を連発、地球大気の0・03パーセントに過ぎない「CO_2」が2030年で大暴走すると吹聴、〝地球温暖（高熱）化〟の「ショック・ドクトリン」で世界を巻き込んでいった。

特に日本人は騙されやすく、「欧米が言うなら間違いない」「国連の機関が言うのだから絶対」「アメリカに従います」と簡単に騙される……「CO_2ゼロ」など不可能にも拘らず、白人の言うことなら何でも信じて猪突猛進していくのだ。

日本のエネルギー&環境研究者で、地球温暖化問題&エネルギー政策専門、キヤノングローバル戦略研究所研究主幹の杉山大志（たいし）氏は、温暖化のTOPクラスの人物で、「世界気象機関」と「国連環境計画」が設立した「地球温暖化」の頭脳が集まる「IPCC（気候変動に関する政府間パネル）」の委員もしている。

その人物が、「西ヨーロッパのエリート、国連のエリート、そしてアメリカ民主党のエリートたちは一生懸命に〝脱炭素〟と言っています。そのため気象サミットや温暖化枠組条約締約国会議（COP）では〝脱炭素〟が絶対ということになっているのですが、それが世界の潮流かというとそうではない!!」と暴露する。

日本では、TVを筆頭とするマスゴミが、ヨーロッパのエコ産業を大々的に取り上げるが、そのことについても杉山氏は「ヨーロッパでも東欧は脱炭素なんて全くやる気がありません。これから経済成長したいと思っている途上国にとって〝CO_2ゼロ〟は迷惑な話です」と完全否定!!

これでは一体、世界で何が正しく何が間違っているのか、日本の学者やマスゴミ、及び自民党や日本政府の言葉は全く信用できなくなる!!

終戦直後から日本を支配したアメリカの「進駐軍」は、ダグラス・マッカーサーが日本を離れた後も常駐し続け、今もその特権を享受し、西側先進諸国ではあり得ない「シビリアン・コントロール（文民統制）」無視で、「ペンタゴン（国防総省）」がアメリカ政府より上位で日本を完全支配しつづけている。

「ＧＨＱ（連合国軍最高司令官総司令部）」が残した戦後日本支配体制、「ＷＧＩＰ（戦争についての罪悪感を日本人の心に植え付けるための宣伝計画）」は、同時に「在日特権」「在日就職枠」「特別永住権」「通名制」と抱き抱えで、東京の「アメリカ大使館（極東ＣＩＡ本部）」が継承し、横田基地のアメリカ軍に東京の「アメリカ大使館（極東ＣＩＡ本部）」が従っている。

横田基地のアメリカ軍のＴＯＰ連中は、隔週で都内にヘリで出向き、霞が関省庁を支配する在日シンジケートを一堂に集め、「日米合同委員会」の席で次々と日本政府に命令を下している。

自民党も、今大混乱にある在日シンジケートの「清和会」が牛耳っていて、「統一教会」との圧倒的議席数でアメリカ軍の命令を法案化、霞が関官僚組織は国連の「ＳＤＧｓ」の印籠をひけらかしながら、ビル・ゲイツの「コオロギ食」「ＬＧＢＴＱ」「地球温暖化対策」を日本人に押し付けていく。

地球が温暖化しているため、「巨大台風」「ゲリラ豪雨」「線状降水帯」「猛暑」が起きると、政府お抱えの大学教授や気象予報士が述べ、その主犯を「二酸化炭素（CO_2）」による「温室効果ガス」とする。

在日が支配する自民党と日本政府は、世界の潮流とする「CO_2ゼロ」を掲げるが、日本政府の各種審議会の現役メンバーの杉山大志氏は、「CO_2ゼロ」に根本的な疑問を持ち、「２０５０年にCO_2実質ゼロ」を謳い上げる「ＳＤＧｓ」にしても、欧米諸国でそれを本気で打ち出す国は皆無で、日本人だけ有り得ないことを目指させられていると警告する。

「アメリカでも温暖化を全く信じていない共和党議員が沢山います。日本はどうかといえば、国際会議では西欧諸国や国連があれこれ言うから、一応同調しているけれども、実際これらの国々が作っているエネルギー計画を見れば、全く〝CO_2ゼロ〟を目指していないことが分かります」

終戦後、「ＷＧＩＰ」によって在日シンジケートがＴＯＰを占める自民党と各省庁が、

「コオロギ食」「ＬＧＢＴＱ」等の「ＳＤＧｓ信者」にさせているのが、横田基地のアメリカ軍主導による「日米合同委員会」と東京の「アメリカ大使館（極東ＣＩＡ本部）」である。

杉山氏は続ける、「現在、世界のCO_2排出量ですが、アメリカと中国だけで世界のCO_2排出量の４割以上を占め、アメリカは民主党のバイデン大統領が、２０３０年にCO_2を半分に、２０５０年にゼロにすると言っても、議席の半分近くを占める共和党が脱炭素政策に反対のため、アメリカの〝CO_2ゼロ〟は不可能です」

「世界で２０５０年に〝CO_2ゼロ〟を目指すことになっているのですが、実は技術的に、また経済的に、どのようにして〝ゼロ〟を達成するのか、具体的な計画をもっている国は１つもないのです」

「最大のCO_2排出国の中国は、２０６０年にCO_2の実質ゼロ宣言をしていても、現実は２０２０年から５年間はCO_2を１割増やすと言っていますから、大幅に増やし続けてきた排出量を、それほどは増やさないと言っているだけで、結局、中国のCO_2排出量は増えることになります」

では、環境問題に世界で最も取り組んでいるはずのＥＵについても、杉山氏は、「西欧諸国の多くはエネルギー危機に陥り〝脱炭素〟どころではないというのが現状です。最も熱心に〝CO_2ゼロ〟に取り組んでいたドイツがその典型で、ドイツはこれまで脱原発政策を進め、化石燃料も石炭火力はゼロをめざして減らした上、地下に埋蔵されているシェールガスも開発せず、電力の半分近くを再生可能エネルギーでまかなってきましたが、行き詰まり、ロシアからの輸入ガスに頼ろうとしました」

結果、2022年2月24日のロシアの「ウクライナ侵攻」で、ドイツはアメリカのバイデン政権の圧力で、安価だったロシアのガスを止めざるを得なくなり、フランスは原発建設を再開することになった。

杉山氏は忠告する「結局〝CO_2ゼロ〟〝脱炭素〟といえば環境にやさしいイメージがあるけれども、再生可能エネルギーに依存して化石燃料を軽視し過ぎてしまい、エネルギー構成がバランスを欠くと、ドイツのようになってしまうということです」

これで何が大局的に見えるかというと、何でも欧米人の言うことを聞く日本人体質を見抜いている「パワーブローカー」であるイギリスのロスチャイルドと、アメリカのロックフェラーは、日本人が最も弱い〝国連によるＳＤＧｓ〟を「上意下達（じょういかたつ）」にしたら、日本人は平伏して何でも白人に従うということである!!

言葉を変えると、「新型コロナワクチン」にしても「コオロギ食」にしても「ＬＧＢＴＱ」にしても、国連主導の「ＳＤＧｓ」は〝日本人（大和民族）対策〟として機能するよう最初から仕組まれていた可能性があるということだ!!

温暖化・気候変動の原因はすべてCO_2!? 「まったくの嘘です」専門家の指摘に耳を傾けよう!!

イギリスのBBCニュースが、「地球は未知の領域に!!」「数々の気候記録が更新!!」「科学者らが警戒!!」と叫び、気温や海水温、南極の海氷という気候指標で、数々の記録が更新され、前例のないスピードで展開していると警戒する科学者が続出……。

「国連」はEUで続く凄まじい熱波で、様々な記録がさらに更新されると警告、一刻も早く「SDGs」の遂行を推し進める必要があると宣言する!!

ところが、「世界気象機関」「国連環境計画」の「IPCC（気候変動に関する政府間パネル）」の委員の杉山大志氏の指摘は、国連の「地球温暖化阻止」「エコが世界を救う」など簡単に吹き飛ばすだけの反撃力がある!!

「そもそも太陽光発電や風力発電で作った電気を使うと言うけれども、絶対に採算が合いません。太陽光は太陽が陰ったら発電しないし、風力は風が止まったら発電しません。そのために、太陽光や風力を利用しようとしたら、常に火力発電所を稼働させてバックアップすることが必要になる。再生可能エネルギーで発電しようとしたら、発電所は二重投資になって大変なコスト高になるのです」

「それは電気料金の値上げという形で国民に跳ね返ってきます。既に2012年7月から始まった『再生可能エネルギー固定価格買取制度』により、年間総額2・4兆円の付加金が発生しています。最近、電気料金がどんどん高くなっているのは、それが大きな要因です」

「問題はそれだけではありません。太陽光発電、風力発電、電気自動車はそのいずれもが、いまや中国が最大の産業を有しています。日本や西欧が〝CO_2ゼロ〟の実現に向けて巨額の温暖化投資をするとなると、中国から輸入することとなり、中国経済は大いに潤うことになるでしょう。言い換えれば、日本や西欧は〝CO_2ゼロ〟で国力が弱体化する一方で、CO_2を排出し続ける中国は国力が強くなる。そんなバカみたいな話になるわけです」

前々から指摘してきたが、飛鳥昭雄の小学生時代の北極海は温暖化で氷が全て溶け、「伊勢湾台風」（1959年9月26日）も今ならハリケーンの最大級〝カテゴリー5〟だったが、やがて微氷期に入って落ち着いた。これは正しいのである。

その繰り返しが今回の微温暖化で、アル・ゴアのハリウッド映画『不都合な真実（An

Inconvenient Truth)』で、世界中が一気に騙されただけである。

それについても杉山氏は、「日本では多くの方が〝このまま進めば地球の生態系が破壊され、災害が増える。温暖化の原因は化石燃料を燃やすことで出るCO_2だから、これを大幅に削減することが必要だ〟というふうに思っているでしょう。しかし、これは事実ではないのです。国連とか政府の御用学者やマスコミからそういう〝物語（フィクション）〟を繰り返し聞かされて、みんな信じてしまっているだけなのです」

一方、飛鳥昭雄の小学生の頃と今とでは、真夏には必ずあった「夕立」が無くなり、直射日光も半端ないが、このことについては、小学生時代の地面は土か砂利で、今は黒いアスファルトという原因が大きく、輻射熱を含む「ヒートアイランド現象」のせいと思われる。

今の日本の現状を杉山氏は、データをもとに物事を観察する「ファクトフルネス(FACTFULNESS)」の立場から、「日本では多くの方が〝このまま進めば地球の生態系が破壊され、災害が増える。温暖化の原因は化石燃料を燃やすことで出るCO_2だから、これを大幅に削減することが必要だ〟というふうに思っているでしょう。しかし、これは事実ではないのです。国連とか政府の御用学者やマスコミからそういう〝物語（フィクション）〟を繰り返し聞かされて、みんな信じてしまっているだけなのです」と断言する!!

「温暖化＝CO_2犯人説」についても、「地球の大気中のCO_2濃度は現在約410ppmで、産業革命前の1850年頃の280ppmに比べて約5割増えています。一方、地球の平均気温は産業革命前に比べて0・8℃上昇しました。日本の気温上昇は過去百年当りで0・7℃。これは気象庁が発表している公式の数字です。しかし、この気温上昇がどの程度CO_2の増加によるものかはよく分かっていません」

さらに杉山氏は、「最近、猛暑になるたびに〝地球温暖化のせいだ〟と言われますが、事実はまったく違います。日本の気温上昇が100年で0・7℃ですから、1990年から2020年までの30年間では0・2℃程度上昇したことになります。しかし、0・2℃といえば体感できるような温度差ではありません」

「2018年に気象庁は『熊谷（埼玉県）で最高気温が国内の統計開始以来最高となる41・1℃になった』と発表しましたが、地球温暖化がなければ熊谷は40・9℃だった、という程度の違いです。地球温暖化はごくわずかに気温を上げているに過ぎないのです」

「都市熱によって東京は約3℃も気温が上がっていますが、東京から離れた伊豆半島の石廊崎では1℃も上がっていません。これが地球温暖化による日本全体の気温上昇（0・7℃）に対応する数字と言えます。温暖化が原因で猛暑になっているわけではないのです」

「台風について言えば、増えてもいないし、強くもなっていません。気象庁の統計で19

50年以降の台風の発生数を見ると、年間25個程度で一定しています。勢力が〝強い〟以上に分類される台風の発生数は1975年以降、15個程度と横ばいで、増加傾向は認められません。1951年以降10個の超強力台風が上陸しましたが、1971年以降はほとんどなく、1993年以降は上陸していません」

「豪雨も観測データでは増えていません。理論的には過去30年間で気温が0・2℃上昇したのですから、その分の雨量が増えた可能性はありますが、それでもせいぜい1%程度です。豪雨も温暖化のせいではありません」

杉山氏の見解で最も過激で正確なコメントが、「誤解を恐れずに言えば、温暖化の悪影響という話はほとんどフェイクニュースです。実際、これまで地球温暖化の影響で起きると言われた不吉な予測はことごとく外れてきました。例えば、北極グマは温暖化で海氷が減って絶滅すると騒がれましたが、今では逆に増加しています。クマを殺さず保護するようになったからです」

「海抜数メートルのサンゴ礁の島々が温暖化による海面上昇で沈んでしまうと言われましたが、現実には沈没していません。サンゴ礁は生き物なので海面が上昇するとそのぶん速やかに成長するからで、逆に拡大している島もあるほどです」

新型コロナパニックと同じく、実際は何も起きていないのに故意に不安を煽り立て、数字を悪用して大勢を騙し、「ディストピア（dystopia）」に引きずり込むイギリスのロスチャイルドとアメリカのロックフェラーの影が見えて来る!!

dystopia ⑰ 日本人には知らされてこなかったGHQの無盾だらけの仕組みに終止符をうとう!!

1945年8月30日、連合国軍最高司令官ダグラス・マッカーサーは、軍用機「C－54：バターン号」で、敗戦日本の「厚木基地」に乗り込んで来た。

同年10月2日、東京都千代田区有楽町の「第一生命館」に「GHQ（連合国軍最高司令官総司令部）」が設置され、アメリカの占領統治の大方針となる「日本の民主化」を掲げた!!

占領下の戦後教育で日本人の多くは忘れ去ったかもしれないが、明治初期の伊藤博文の時代、全国で民主主義を訴える「自由民権運動」が起きていた。

ところが、薩長政府は時期早々としてそれを弾圧、それでも1889（明治22）年の「衆議院議員選挙法：明治二十二年法律第三号」により、日本でも「選挙」が始まった。

それでも幾つかの条件があり、「第六条第一項」に、日本臣民の男子にして年齢満二十五歳以上とされ、「第六条第三項」に、満一年以上直接国税十五円以上を納める者（但し所得税については満三年以上を納めることが必要）に制限、被選挙人（議員候補）になるにも、日本臣民の男子満三十歳以上で満一年以上直接国税十五円以上を納める者（但し所得税については満三年以上を納めることが必要）に限られていた。

とはいえ、自由選挙の先駆けとされるイギリスでも、1832年の「選挙法改正（第1回）」の段階では、選挙権は10ポンド以上の年収があることなど、財産による制限が加えられ、有権者は総人口の約4・5パーセントに過ぎず、1867年の「選挙法改正（第2回）」で、ようやく都市労働者に選挙権が与えられ、1884年の「選挙法改正（第3回）」で、農村労働者にも選挙権が拡大、「男性普通選挙」になったのも1918年の「選挙法改正（第4回）」からで、21歳以上の男女に平等な選挙権が認められたのは、1928年の「選挙法改正（第5回）」からだった。

アメリカでは、第7代ジャクソン大統領の1830年代に「ジャクソニアン＝デモクラシー」が各州で実施され、選挙権は男性市民のみが有することが前提で、女性の参政権は、1920年8月26日の「憲法修正第19条」の可決からで、現在も大統領選挙は、最終的に州のエリート層の「選挙人」が選ぶため、真の民主主義とは言い難い。

その点、1889年に「選挙」が行われた日本は、欧米に対しほとんど遜色がなく、「衆議院議員選挙法第十五条」では、軍の政治介入を防ぐため、現役の陸海軍軍人に「選挙人」「被選挙人」の権利を与えなかった。

その日本を「民主化」するという「GHQ」の目的は、「軍隊の武装解除」「特高警察廃止」「治安維持法廃止」「軍国主義の廃止」で、世界最強の軍隊を持つアメリカが、他国の軍隊の存在を認めないのはトンデモナイ矛盾で、当時の段階でもアメリカは、治安維持を目的の諜報機関「CIA（中央情報局）」の前身、「OSS（戦略情報局）」「OCOI（情報調整局）」「COI（情報調整官）」を持ち、そもそも、アイゼンハワー大統領が名付けた「MIC／軍産複合体（Military-industrial complex）」の国が、武装する自由を他国から奪う民主主義とは何様なのかということである。

さらに、「軍需産業の解体」「中間賠償／在外資産の没収」もだが、そう命じる同じ口が1950年6月25日に「朝鮮戦争」が勃発するや、旧日本軍人を朝鮮半島に派兵すると言い出し、日本の工場を総動員してアメリカ軍に武器弾薬を製造させても、全く矛盾を感じないいい加減さである。

「財閥の解体」も理屈に合わない目標で、民主主義を標榜するアメリカに、「利益集団／インタレスト・グループ（Interest Group）」の巨大コンツェルンがあり、それは「ロックフェラー」「モーガン」「メロン」「デュポン」「カーネギー」という五大財閥の存在で、日本だけ財閥を廃止とは自己中心的矛盾以外の何ものでもない。

「憲法改正」にしても、民主的な憲法が目的とされるが、「明治憲法」は立派な民主憲法を謳っていた筈で、当時の欧米も、それをアジア初の〝民主憲法〟として認めた経緯があった。

そして、「天皇を国家元首から象徴天皇へ」も狂気の沙汰で、明治憲法には既に象徴天皇と定められており、国家存亡の危機の「統帥権」だけが問題だった。

フィリピンのバターンから撤退を余儀なくされ、将軍として大恥を掻かされたマッカーサーが、天皇だけは絶対に許さないと豪語したにもかかわらず、アメリカの日本統治に昭和天皇の力が欠かせないと把握した際、天皇を利用することにする際の詭弁ともいえるものだった。

「GHQ」による「民主的な戦後教育」も傲慢を絵に描いた代物で、戦争への反省と罪悪感を植え付けるため、「WGIP／War Guilt Information Program」を決行、戦争が「公共事業」のアメリカが、戦争を起こさなければ崩壊する「軍産複合体」の国のどの口が、〝戦争罪悪感の植え付け〟を言えたかと思われる。

さらに「GHQ」は「言論及び新聞の自由」を掲げても、日本の新聞には〝GHQ批判厳禁〟のプレスコードを発布するといういい加減さで、傲慢不遜の我がままぶりと、自己中と言ってもいい節操のなさは、現在のアメリカの姿勢と全く変わっていない。

結果、アメリカの犬の在日系「自民党」による「ディストピア（dystopia）」が日本で現実化し、それが一気に加速しているのが今この瞬間だが、茹で蛙には分からない……。

dystopia

今だからこそ分かる！　国鉄の下山事件、三鷹事件もマッカーサーによる「在日シンジケート」の汚れ仕事だったかもしれない！

「ＧＨＱ」が掲げた「労働組合の育成」だが、１９４９年１月23日に実施された「第24回衆議院議員総選挙」で、日本共産党が４議席から35議席へと躍進した結果、共産主義台頭を恐れた「ＧＨＱ」は「言論及び新聞の自由」も「民主化」も投げ捨て、１９４９年１月31日、労働組合の権利だった「二・一ゼネスト」を「ＧＨＱ」が強制中止させる行為で自己矛盾を更に露呈し始める。

さらに「ＧＨＱ」は、国鉄の労働組合に共産主義者が多いとし、１９４９年６月１日、全公務員約28万人、国鉄職員約10万人の人員整理を決行するよう下山定則国鉄総裁に命じ、

「労働組合の育成」に逆行する「労働組合の弱体化」を図る自己矛盾を公然と決行、下山総裁は板挟みにあう中、7月4日、3万7000人の従業員に対し「第一次整理通告（解雇通告）」が行われた。

その翌日、下山総裁は「三越日本橋本店」に入った後、突然、消息を絶ち、捜索願いが出されたが、7月6日未明、東京都足立区の常磐線と東武伊勢崎線が交差する付近で悲惨な轢死体で発見される。

警察は、自殺と他殺で捜査を開始したが、最大の問題点は、三越店内で、3、4人の男に取り囲まれ連れていかれたという証言で、さらに轢死体にもかかわらず血液がほとんど確認できず、暴行の跡が何カ所か確認できたことから失血死の遺体を数人の何者かが線路上に置いたという線が濃厚となった。

が、同時に、下山総裁と思しき人物が、死亡前日から現場近くを彷徨う姿が確認されたため、自殺説が出てきたが、わざと目立つよう行動していた可能性もあるため、捜査が混乱する。

そんな最中、1949年7月15日、63系電車4両を含む7両編成の電車が暴走を始め、国鉄「三鷹駅」の下り1番線に進入した後、時速60キロのスピードで車止めに激突、そのまま脱線転覆し、線路脇の商店街にいた男性6名が車両の下敷きとなり即死、負傷者20名が出る大惨事「三鷹事件」が勃発する。

1949年8月、「下山事件」の捜査一課は本事件を自殺と認定、捜査報告書の作成を始めた矢先、突然、「GHQ」から横槍が入り、なぜか自殺説の発表は見送られる……そんな最中、「GHQ」は国鉄労働組合の共産主義者の仕業と新聞社にリークを流し、マスゴミをアメリカの思惑通りに誘導していった。

当時、中国では国共内戦で「中国共産党」の勝利が濃厚となり、共産党の支持者も多かった国鉄は、共産主義化を警戒する「GHQ」にとって邪魔な存在であり、複数の共産党員の国鉄職員が逮捕されたことを切っ掛けに、国鉄労組を一気に弱体化させていった。

案の定というか何時ものアメリカの手口と言えば、理想と行動が真逆なことで、こんな国をまともに信じたらロクな結果にならないということだ。

終戦直後の占領政策の時代、マッカーサーによる「在日シンジケート」が日本各地で暗躍し、「GHQ」の汚れ仕事を次々と熟していた!!

その後、マッカーサーが北朝鮮軍と中国軍壊滅に、トルーマン大統領に原爆使用の許可を求めたため、旧ソ連との全面戦争を危惧したトルーマン大統領は、マッカーサーを解任、羽田空港からマッカーサーが帰国したのが1951年4月16日、「GHQ」が撤退したのは1952年4月28日だった。

そのＧＨＱ占領下の時代、「帝銀事件」「下山事件」「三鷹事件」等が次々と起こり、マッカーサーとＧＨＱが消えるとともに無くなった……これで犯人が誰だったのかが如実に分かるだろう。

その後、「ＷＧＩＰ（戦争についての罪悪感を日本人の心に植え付けるための宣伝計画）」を東京の「アメリカ大使館（極東ＣＩＡ本部）」が継承、アメリカ占領軍は「在日アメリカ軍」と名を変え、今も「横田基地」に居座りつづけ、１９６０年から「日米合同委員会」を介し、霞が関省庁の在日ＴＯＰに命令を下しており、その決定を同じ在日が支配する「自民党」と「公明党」が協力して法案化し、半島系の「統一教会」が「自民党」と一体化してアメリカを支える構造が出来上がった。

この構造を知っていなければ、日本人は「ディストピア(dystopia)」へ本格突入した際、大混乱の中を右往左往するだけになる!!

火星運河発見のパーシヴァル・ローウェルにみる「日本人蔑視」の伝統は、マッカーサーに引き継がれていた！

ダグラス・マッカーサーの「老兵は死なずただ消え去るのみ」は名言として今も語り継がれるが、「日本人は12歳児」の言葉も伝え残されている。

帰国後、マッカーサーは「上院公聴会」席上で、日本人を「like a boy of twelve」と証言、その意味は「日本人は12歳児」である。

この意味を、日本のマッカーサー支持者たちは「12歳なので伸びしろが沢山ある民族だ」と好意的に受け取るが、元々、アメリカという国家は「マニフェスト・デスティニー(Manifest Destiny)」を啓蒙思想に掲げる国で、有色人種（インディアン：ネイティヴ）を抹殺しても、白人の神イエス・キリストは喜ばれアメリカ人を罰さないという思想を掲げ、西部開拓以来、西へ西へとカラード（有色人種）を抹殺し、約束の地イスラエルをゴールとするため、本来アメリカは原子爆弾19発で、蟻のような集団行動の日本人を全て焼き滅ぼす筈だった。

それが昭和天皇の「玉音放送」で台無しになったため、いずれ完全に亡ぼすつもりでダグラス・マッカーサーと「GHQ」が日本に土足で入って来た以上、ポジティブな意味で12歳と語るとは思えない、どう控えめに見ても「頭の度合いがアメリカ人の12歳程度だ」の侮蔑が入っていた。

そもそも論だが、日本人を無公正な蟻の集団と決めつけたのは、火星を自前の天体望遠鏡で観測し続け、後に火星に縞模様（運河と誤訳）があると発言し、明治時代の日本に来たアメリカの富豪パーシヴァル・ローウェルだった。

ローウェルは、3冊の日本論を出しており、その中の『極東の魂』（1888年：明治21年発行）に、〝impersonal（没個性）〟を連発、進化の頂点にあるアングロ・サクソンの個性豊かさと比較すると、明らかに「進化の輪」から取り残された劣等民族と決めつけている。

それは、イギリスの哲学者ハーバート・スペンサー（1820年4月27日〜1903年12月8日）の「社会進化論」の影響で、当時のローウェルだけではなく、アメリカ全土で最盛期を迎え、人間の社会進化は「集団主義的軍事型社会」から、「個人主義的産業型社会」へと「進化する」とし、それは有色人種を下等とする「マニフェスト・デスティニー」とマッチングしていた。

ローウェルは、「民族は、アメリカを基点に西から東へ向かうにつれ、アメリカ→ヨーロッパ→中近東→インド→日本の順で没個性的になる」とし、「アメリカ人が最も個性的（＝優秀）で、日本人が最も没個性的（＝下等）」と記している。

一方、ドイツの哲学者ゲオルク・ヴィルヘルム・フリードリヒ・ヘーゲル（1770年8月27日〜1831年11月14日）の『歴史哲学』には、「東から西に向かうに従い、自由の精神が発達する」と説き、これはスペンサーの「社会進化論」と同じ意味になる。

さらにローウェルは「日本人には恋愛感情がない」「運命の女神は節約し過ぎて日本人に恋心を与えなかった」と断言、『源氏物語』を全く知らない人間の浅はかさを露呈し、「日本人は子どもの段階で止まっている」との記述が、マッカーサーを初めとするアメリカ人の共通概念だったことが分かる。

ダグラス・マッカーサーの時代、〝日本人の精神構造〟を解明する会議がNYで開催され、社会学者のタルコット・パーソンズ、歴史学者のフランク・タンネンバウム、文化人類学者のマーガレット・ミードなど当時のアメリカを代表する社会科学者40名以上が集まった。

そこで話し合われた結論は、「日本人は、集団に順応していないと安心感を得られないが、この点で、アメリカの未熟な少年、特に不良少年とよく似ている」だった!!

虫の音色が雑音としか聞こえないアングロ・サクソンは、「雨」を「rain」しか知らないが、日本人は「雨」を「時雨」「小雨」「大雨」「梅雨」「雨霰」「俄雨」「糠雨」「小糠雨」「春雨」「氷雨」「村雨」「私雨」「暴風雨」「雷雨」「降雨」「煙雨」「冷雨」「晴雨」「雨間」「群雨」……等々。

日本人から見たら、単純細胞のアングロ・サクソンの方が12歳程度の思考しかないとなる。

そんな連中が最も怖いのは、小さな島国に過ぎない日本人が、文明開化の1868年から30年弱の1894年の「日清戦争」で中国（清王朝）を倒し、40年弱の1904年の「日露戦争」でロシアを倒し（正確には負けなかっただけ）、70数年の1941年の「真珠湾攻撃」で世界最大のアメリカを奇襲、その後、一国になっても世界を相手に戦い抜き、原爆を落とされなければ戦況はどうなっていたか分からない。

戦後も、液晶を商品化し、半導体もアメリカを追い抜き、CDもDVDもRDも日本基準で、βやVHSも日本発で、東大製OSのトロンをアメリカが日米貿易摩擦で「スーパー301条」で爆殺しなければ、世界基準の殆ど全て日本勢が占めることになっていた。正に「Japan as No.1」だったのだ!!

バブル期には山手線内の土地だけでアメリカ全土を買える規模に膨れ上がったが、アメリカの手先だった三重野康（みえのやすし）日銀総裁が、高速道路を猛スピードで走る大型日本車に急ブレーキを掛ける「急激金融引き締め」で引っ繰り返してアメリカに貢献した。

その後、小泉（朴）純一郎が現れ、ロスチャイルド傘下ではなく日本人の金を守って来た郵貯・簡保の開放「郵政民営化」で、鹿児島の朝鮮集落出身の在日の朴により、日本人の郵貯と簡保の総額300兆円を「郵政民営化」の美名の下でロスチャイルドの「国際金融ピラミッド構造」に開放、ロックフェラーが支配する禿鷹ファンドの餌食とするためアメリカに還流された。

さらに、消滅した貯金総額は2021年度で457億円、民営化後の累計で約2千億円にのぼり、民営化で乗り込んできた在日シンジケートにより「簡保詐欺」が横行していった。

その一方で、1980年代半ば、日本の「半導体」は世界を席巻し、技術力だけでなく売上高でもアメリカを抜いてトップで、世界シェアの半分を超えたこともあったが、ワガママ大国アメリカが「通商法301条」「反ダンピング訴訟」を連発、その最中にバブルを崩壊された日本は、人員整理に陥り、優秀な技術者が韓国のサムスンや台湾に流出、アメリカもその状況を西側陣営の危機管理に見合うとし、日本だけが失速していったのである。

日本国内に巣くう省庁の在日シンジケートが、アメリカの言いなりで背後から刺して来るため、日本人が如何に優秀でも卑怯なアメリカに必ず負けるよう仕掛けられている。そのため、日本が真に独立する時、アメリカ軍を国内から追放するしかない。

それが出来ない場合は、日本列島を見捨ててラストエンペラーとともに、欧米が敵になってもイスラエルに向かうしか無く、その旗頭は真のユダヤのレガリア「三種の神器」と「契約の聖櫃アーク」になるはずである!!

自民党も統一教会もすでに用済み！　ＣＩＡは天皇陛下も含めて日本人の大量死去を待って、次の一手を繰り出すだろう!?

どこかの在日の嘘吐き首相が言った「自民党をぶっ潰す!!」は、皮肉なことに人類最後の年号となる「令和」で実現するだろう。

ビル・ゲイツ製母型ウイルス「ＣＯＶＩＤ－19」からゲノム編集された「遺伝子操作ワクチン」は、接種後3年から4年でほぼ悶絶死する「遅延死ゲノム溶液」であるため、地方の何があっても〝自民党命〟の「自民党岩盤層」の高齢者は消え失せ、都内の自民党支持者もいなくなり、大阪、名古屋、札幌、福岡の自民党支持者も永久に姿を消す!!

その「自民党」もアメリカに裏切られ、アメリカを信じて「ファイザー」「モデルナ」を接種しつづけた「自民党国会議員」はもちろん、野党議員の殆ども急激に体調を壊し、歩けなくなり、免疫不全と脳髄の溶解で悶絶死していく。

生き残った自民党議員は、接種を偽ってビタミン剤や、ブドウ糖液などの栄養剤を注射した連中で、アメリカに日本の全ての「財政データ」を渡し、日本を売り渡す為だけに生かされただけだ。最後にアメリカに「日米併合」を願い出て、ハワイ州と統合する調印を行うために生かされているのが、霞が関官僚のTOPを含む在日朝鮮人である。

地方を含め国政を維持できなくなった日本は、アメリカの統治下で生きるしかなくなり、「アメリカ大使館（極東CIA本部）」が仕組んだ文鮮明と岸信介の間で交わされた密約、「統一教会国教化」は、旧ロシア、共産中国と対抗する「国際勝共連合」で自民党と血肉まで合体するための口約束に過ぎなかった。

「国際勝共連合」は国政より地方の自民党で一気に拡大し、自民党の全地方議員が「国際勝共連合」に所属し「統一教会」と一体化した。

それは、「アメリカ大使館（極東CIA本部）」が、近い将来、天皇家を在日朝鮮人（当時は秋篠宮とされていた）と入れ替え、李氏朝鮮の末裔の安倍（李）晋三が日本の王となった段階で、「統一教会」が「神道」を破棄して日本の国教となるはずだった。

それが成就した「大祭典」が、在日の森喜朗がフィクサーとなった「東京コリアンピック２０２０」で、永久総理大臣職（日本の王）の安倍（李）晋三が支配する中、秋篠宮の天皇陛下が開会を宣言、全てをコリアン式で展開する光景を世界中に公開する段取りだった。

占領下、「ＧＨＱ（連合国軍最高司令官総司令部）」が当時の皇太子明仁（あきひと）親王の誕生日の12月23日に、「巣鴨プリズン」のＡ級戦犯を次々と絞首刑にすることで「お前もアメリカに逆らえばこうなる!!」と見せ付け、昭和天皇の後継者をアメリカナイズさせる計略に打って出ていた。

当時の皇太子の明仁（あきひと）親王の元へ、ＣＩＡの息の掛ったアメリカ女性の家庭教師らが送り込まれ、右翼が心配するほどアメリカ式に生活を改めさせていった。

右翼が頭に来たのは、アメリカ人のようにテニスを楽しむ皇太子の姿で、そのテニスを通して正田美智子（後の美智子皇后）に一目ぼれした皇太子は、民間人を初めて娶って皇室入りさせ、子供もアメリカ式に夫婦で育てる〝アメリカ万歳天皇〟が誕生した!!

そこで「ＣＩＡ」は、二人の子の徳仁（なるひと）親王ではなく、李氏朝鮮の血を持つ赤ん坊（後の秋篠宮）を二人の間に送り込み、次期天皇にするよう命令した。

全てをアメリカの指示通りに動く現・上皇明仁陛下だったが、２０１６年８月８日、突然、ＴＶを通して「生前退位」を表明した。

そこには「ＣＩＡ」が期待した「秋篠宮に皇位を譲る!!」言葉は一言も無く、且つ、皇太子に皇位を譲るコメントも無かったが、慣習から天皇が退位すれば自動的に皇太子へ皇位が移るため、「生前退位＝生前譲位」となり、「ＣＩＡ」の思惑は最後の最後で引っ繰り返された。

現・明仁上皇は、「忠臣蔵」の大石内蔵助と同様、長い間、アメリカに対し〝うつけ〟を演じてきたのである。

慌てた「ＣＩＡ」は、アルコール依存症疑惑で海外への印象に問題を抱える秋篠宮に見切りをつけ、秋篠宮の長女の眞子と在日の小室（Kim）圭を結婚させ、皇室に小室を加えることで、天皇徳仁陛下をボーイング機の墜落で崩御させ、その後釜に秋篠宮の「皇位継承権」で小室を秋篠宮の息子の悠仁（ひさひと）が成人するまでの臨時天皇にすることにシフトしたのである。

安倍（李）晋三は、そのための「女性宮家設立」を超法規的措置で法案化させる役目だったが、２０２２年７月８日、奈良県の近鉄大和西大寺駅北口前で暗殺された。さらに「ＣＩＡ」はロシアの「ウクライナ侵攻」（２０２２年２月24日）もあり、イギリスのエリザベス女王の国葬の帰りを狙ったが、不可解な現象が起こり不発に終わった。

結果、「ＣＩＡ」は、２０２１年7月7日に天皇徳仁陛下が接種したワクチン「ファイザー」と、さらに2回目を3週間後の7月27日に接種した筈のため、２０２４年に天皇徳仁陛下は崩御すると目論み、そこまで待つことにシフトした!!

その方が、天皇を含め次々と日本人が命を落とす２０２４年の大混乱に乗じ、「伊勢神宮（内宮）」「伊勢神宮（下宮）」「伊雑宮」の三カ所に置かれたユダヤの「レガリア」を奪いやすくなり、それには、「熱田神宮」（愛知県名古屋市）を破壊する大地震「南海トラフ大地震」を、ユタ州の「エリア52」の「巨大ＨＡＡＲＰ」で引き起こし、天皇徳仁陛下によって、「草薙剣（アロンの杖）を「伊雑宮」へ移させれば、三重県に全て揃うため一度で強奪しやすい!!

その頃には、自民党は「ＣＩＡ」にとればほとんど意味を無くし、「統一教会」も自民党と一緒に不要となり、「統一教会」国教化の口約束もロックフェラーに踏み躙られ、自民党と一緒に在日シンジケートも踏み潰される。

自民党と骨肉一体の「統一教会と文鮮明」の基礎知識は、サバイバルの必須条件である！

「統一教会」の正体を本当に知っておかないと、在日系が支配する自民党に再び煙に巻かれて騙されることになるため、最小限の事を知識として知っておかねばならない。

「統一教会」の教祖・文鮮明は半島生まれだが、「日韓併合」で日本にやって来て「早稲田高等工学校電気科」に入学、その後、日本敗戦で半島へ戻り、1950年6月に「朝鮮戦争」が勃発、1954年5月1日に「世界基督教統一神霊協会（統一教会）」を半島で興すことになる。

1968年1月13日、下部組織として反共産主義を掲げる「国際勝共連合」を設立、同年4月、日本でも同団体を設立した後、冷戦下の1972年にアメリカのNYにも拠点を置き、反共の姿勢が強烈な文鮮明の姿が「CIA」の目に留まり、「国連」の場で2度演説させ、当時のニクソン大統領がホワイトハウスに招いている。

その勢いを駆って、1973年11月23日、渋谷区松濤の「統一教会本部」で、安倍（李）

晋三の祖父の岸（李）信介（元）首相と長時間会談するが、その場で「GHQ（連合国軍最高司令官総司令部）」の「WGIP（戦争についての罪悪感を日本人の心に植え付けるための宣伝計画）」で足並みを揃える同士として意気投合、岸が文鮮明を「最も尊敬する一人」と語り、東京の「アメリカ大使館（極東CIA本部）」と連携して、「自民党」と「統一教会」の統合が諮られた。

1989年7月4日、文鮮明は、CIAの依頼で、李氏朝鮮の皇太子として日本の皇室と繋がった李垠の子、安倍（李）晋太郎の支援に入っていく。

安倍（李）晋太郎と同じ、朝鮮系の国会議員が占める「清和政策研究会（清和会）」とタイアップし、「国会内に教会をつくる!!」「国会議員の秘書を教団から輩出する!!」計画を推進、それを次々に実行し「自民党」と「統一教会」は地方を含め、「国際勝共連合」を介して骨肉まで一体化していく。

だから「統一教会」を「自民党」から引き剥がすことは絶対に不可能で、「自民党」に「統一教会」が協力するようなレベルではなく、「統一教会」のメンバーが「自民党」の国会議員、地方議員になっているのが実態なのだ!!

文鮮明は、岸（李）信介と同じ李氏朝鮮の安倍（李）晋太郎の地盤固めに「統一教会」が在日朝鮮人を総動員し、今に至る最大派閥「清和会」を、当時の段階で議席数13から88

に大幅アップさせている。

その多くが在日朝鮮人で、「通名制」で日本名を名乗り、茹で蛙化した日本人有権者を次々と騙し、地方で「自民党岩盤層」を次々と形成、特に老人層を次々と取り込んでいった。

なぜ文鮮明が日本の国政に深く関与したかは歴然で、李氏の末裔の岸（李）信介から続く安倍（李）一族を巨大化し、国会を「統一教会」が統一、つまり、「統一教会」を〝日本の国家宗教〟にするのが文鮮明の悲願だった。

安倍（李）晋太郎の死後、跡を継いだ安倍（李）晋三は、２００６年の官房長官時代に、「統一教会」関連団体の全国大会に祝電を送り、同年、内閣総理大臣に上り詰め、「アメリカ大使館（極東ＣＩＡ本部）」が目指す、「韓国＋コリアＪＡＰＡＮ＋北朝鮮」の三位一体で極東を安定させ、その原動力が日本人の奴隷が重労働で朝鮮民族にお返しする「ハンギョレ（一つの民族）システム」である。

その為にも「統一教会」の文鮮明の立ち位置はアメリカにとって都合よく、文鮮明は北朝鮮の平安北道定州郡で生まれたため、１９９１年には北朝鮮を訪れ、平壌で北朝鮮最高指導者の金日成と手をつなぎ合って会談し、北京でも「私の勝共思想は共産主義を殺す思想ではなく、彼らを生かす思想、すなわち人類救済の思想」の声明文を発表したが、何のことはない「国際勝共連合」とは、日本の茹で蛙を騙すための方便だったのだ。

韓国、コリアＪＡＰＡＮ、北朝鮮を股に掛けた文鮮明は、１９９０年4月11日、ソビエト連邦の最高指導者ゴルバチョフとクレムリンで会談、「アメリカ大使館（極東ＣＩＡ本部）」にとって非常に都合がいい人間だった。

一方、安倍（李）晋三は最大派閥の「清和会」を在日の細田博之から引き継ぎ、一気に第三次安倍内閣に向けて始動、有権者の圧倒的議席数で日本人に君臨する王、つまり「永久総理大臣」になる矢先、２０２２年7月8日、日本にとって獅子身中の虫は氷結弾で消え去った。

同時に山上徹也被告によって「統一教会」の実態が暴かれることで、茹で蛙の日本人は、ようやく「自民党＝統一教会」までは分からずとも、「自民党≒統一教会」までは見えたようだが、人の噂も75日で、「文化庁」に「統一教会」を任せ切りで既に忘れようとしている……。

前述の通り、日本の「神道」を韓国の「統一教会」と入れ替える計画だった文鮮明は、２０１２年9月3日、肺炎を患い92歳で没したが、妻の韓鶴子（ハン・ハクチャ）が跡を継ぎ「統一教会」を支配、今も天皇徳仁（なるひと）陛下の崩御を、アメリカで待機中の秋篠宮の娘の眞子と小室（Kim）圭らとともに首を長くして待っている。

とにかく「アメリカ大使館（極東ＣＩＡ本部）」は、文化庁による「統一教会」の宗教法人取り消しだけは許さないだろうし、創価学会の「公明党」も己に跳ね返る事態だけは避けるはずで、穏便に済まそうとするだろう。

仮にそうなれば、この国の自治権などどこにも存在せず、全てアメリカと在日シンジケートが支配していると分かるだろうが……茹で蛙にはそれでも分からないかもしれない。

dystopia ㉒

エリア52で巨大ＨＡＡＲＰ施設が全開中！ ショック・ドクトリンの拡大は、食料危機を煽るため!?

２０２３年7月27日、国連のアントニオ・グテーレス事務総長は、ＮＹの国連本部で記者会見を開き、「地球温暖化」ではなく「地球沸騰化」の時代が到来したと発言した。

同時に、「ＷＭＯ（世界気象機関）」と「ＥＣ（欧州委員会）」の気象情報機関である「Ｃ３Ｓ（コペルニクス気候変動サービス）」は、「ミニ氷期が来ない限り7月が人類史上最も暑い月となる」と公式データを添えて発表した。

「地球温暖化の時代は終わりました。地球沸騰化の時代が到来しました!!」

「もはや空気は呼吸するのに適していません。暑さは耐えがたいものです!!」
「もはや化石燃料で利益をあげ気候変動への無策は容認できない!!」
と、まるで明日にでも人類は全滅する「ショック・メッセージ」だが、問題は、世界中にショックを与えて本当は何をしたいのかを見極めることだ。

敢えて誤解を覚悟して言うと、「地球を昔のような安定した気候に戻したい」のが目的なら間違っているし、「世界中の指導者が企業とともにCO_2ゼロを目指す」のもとんでもない間違いである。

前者は、微温暖化と微氷河期が巡ることと、太陽の異常活動による温暖化が原因で、大気の0・03パーセントしかないCO_2を犯人にしたい勢力が存在し、そのCO_2の排出に制限とストップを掛けさせることで、世界経済を破壊したい破れかぶれの存在がいるということだ。

ほとんど無害で赤ん坊や幼児も感染死しない「新型コロナ（COVID－19）」をパンデミックと世界中に「ショック」を与え、その隙に乗じて「ゲノム遺伝子操作溶液」を接種させ、ロックダウンで世界の経済を傾けた「イルミナティ／Illuminati（Late-day）」のロスチャイルドとロックフェラーによる手口が今回も見えるのだ。

「国連機関」を支配するロックフェラーと、「国際金融ピラミッド」を支配するロスチャイルドによる、「パワーブローカー」の「ショック・ドクトリン」のやり口が同じなのだ!!

「ショック・ドクトリン」とはアメリカの経済学者ミルトン・フリードマンによる「参事便乗型資本主義」で、ショックを与えた隙に大資本家が一気に都合よく変革することで、今、国連が「ＳＤＧｓ」を前面に押し出し、世界中を似非科学でショック状態に陥れている!!

結果、ロスチャイルドやロックフェラーなど超富裕層だけの世界「ハイパー・リッチスタン（Hyper・Richstan）」が「ニュー・ワールド・オーダー（新世界秩序）」で完成、無駄に多い人間を世界中から「遅延死ワクチン」で削除した「ユートピア」が誕生する……。

たとえば、北半球で山火事が増えているのは、中国のゴビ砂漠の拡大や、赤道を跨ぐブラジルによる広大なアマゾン河流域の森林伐採による影響で、大気中を流れる「湿気の大河」が消滅しかかっており、地球が乾燥しているからだ。

ビル・ゲイツの似非科学に騙された国連事務総長による「ショック・ドクトリン」で、国連の「ＳＤＧｓ」は、「地球温暖化から地球沸騰化へ」の大スローガンを受け、各国政府と企業リーダーに早急な行動を促すことになった。

「こういう事態は、今まで予測され、繰り返し警告されてきました。驚くのは、気候変動のスピードです。気候変動はすでに起こっています。恐ろしいことです。そして、現在の気候変動はほんの始まりにすぎません」

「野心的な再生可能エネルギーの導入目標は、気温上昇を1・5℃に抑えるものでなければなりません。そして、地球上の全ての人に手ごろな価格の電力を提供するため、先進国は2035年までに、その他の国は2040年までに電力セクターの〝ネットゼロ〟を達成する必要があります」

「ネットゼロ（Net Zero）」とは「温室効果ガスを差し引きゼロ」にすることで、「温室効果ガス」の排出量を「正味ゼロ」にすることを言うが、アメリカと中国が言うことを聞く気がないので不可能である。

では、「国連」が何の目的で、世界中に「ショック・ドクトリン」を拡大させているかが重要で、地球沸騰による「世界的食糧危機」を煽ることが最大の目的の一つで、「ウクライナ侵攻」によりウクライナ産の小麦が出港禁止の今、増々、世界中（特に日本人）がショックを加速させることになる。

そのために、アメリカのユタ州に増設された「エリア52」の地下に隠されている「巨大ＨＡＡＲＰ施設」が全開中で、中国を含む世界中の気象を狂わせ、「ＨＡＡＲＰ」では局所的高空（電離層）でしか温暖化は出来ないが、台風のコースや大豪雨など気候を引っ掻き回すことは可能で、さも地球温暖化による大変動と思わせている。
そして、最も恐ろしいのは「巨大HAARP施設」により「超弩級地震」を起こすことである!!

dystopia ㉓ 世界総統への舞台回しか!?　嘘八百のSDGsを揚げて、世界を絞り上げ脅し始めた国連事務総長の裏は、もちろんパワーブローカーである!

2023年7月27日、NYの国連本部ビルの記者会見の場で、グテーレス国連事務総長が、「国連」で議決した「SDGs」の旗の下、国際的な気候変動に関わる「金融」との約束は厳格に守られなければならないと発言した。

金融と言えば「国際金融&銀行ピラミッド」の頂点に君臨するロスチャイルドとの約束を指し、先進国は「パリ協定」の気候変動対策支援のため、発展途上国に年間1000億ドル（11兆円）を提供、「緑の気候基金」を全額補充する約束を遵守するよう言明、遅延も言い訳も不要と言い切った。

要は「国連」の「SDGs」が全世界共通の基準であり、多くの「銀行」「投資家」「その他の金融関係者」は、「ＳＤＧｓ」に従うか否かを厳密に見極め、従わない〝汚染者〟に対し、国であれ企業であれ個人であれ〝報酬〟を与えることになると厳命した。

国連事務総長といえば今までは誰がなっても同じ〝お飾り〟に過ぎず、「CO_2規制」に積極的ではない国に対し、〝金融厳罰〟を与える言葉を発するほど権限・権威があるのかという話だが、ウクライナの芸人ゼレンスキー大統領のように、威を借る狐の背後に〝虎〟が隠れているとしか思えない発言である。

さらに、変貌したグテーレス国連事務総長からの脅しが続く……。

「加速する気候変動対策をサポートするのに、世界の金融システムの軌道修正が必要です。これには炭素価格を設定し、世界銀行やアジア開発銀行などといった国際開発金融機関にビジネスモデルと、リスクへのアプローチを徹底的に見直すよう促すことが含まれる」

「私たちは、国際開発金融機関がその資金を活用して、発展途上国にリーズナブルなコストでより多くの民間資金を動員し、再生可能エネルギー、適応、損失と損害への資金提供を拡大する必要があり、すべての分野で、政府、市民社会、企業などが協力して成果を出す必要があります。」

これが、資本主義社会の終焉に登場する「ショック・ドクトリン（惨事便乗型資本主義)」で、大惨事や大戦争の勃発と同時に〝復興予算〟が組まれ、巨大ファンド、銀行、巨大不動産、巨大建設業の「超コングロマリッド」が形成されるため、地元に復興資金はほとんど落ちない。

「人類が破壊的な気候変動を引き起こしたという証拠はいたるところにあります。このことは絶望を引き起こすのではなく、行動を引き起こすものでなければなりません。最悪の事態を防ぐことはまだ可能です。しかし、そのためには、灼熱の年から野心が燃える年に変える必要があります。そして気候変動対策を今すぐ加速させましょう」

思わずおいおいだが、2023年8月時点の地球大気中のCO_2の量は、厳密に言えば0・03パーセントに過ぎず、0・03パーセントになれば地球は沸騰すると国連事務総長は仰るわけだが、そのどこに破壊的気象変動の科学性があるのか？

ドイツの「ポツダム気候影響研究所」のヨハン・ロックストローム教授が唱える、2030年までに「脱炭素社会」に移行しなければ、地球は「地球温暖化」により許容できる「臨界点」を超え、二度と元に戻らない地獄の世界になる、という異常なほどまでに極端な仮説がある。

この予測を「ホットハウスアース理論」といい、今のまま何もしなければ2030年に「産業革命」以前の地球の平均気温の＋1・5度上昇が決定、地球環境は一気にバランスを崩して〝灼熱地球〟へ向かい、その暴走を止めることは出来なくなるという（仮説）。

ここでいう灼熱地獄とは、太陽系地球の内側を公転する「金星」を指し、金星の地表は92気圧（atm）の高温460℃、その原因とされるCO_2の量は、金星大気中の何と96・5パーセントである。それに対する地球のCO_2は僅か0・03パーセントであり、0・04パーセントに向かっているとしても、それのどこが科学的なのか？

仮説の上に仮説を重ね、さらに仮説で出来上がった頭の中だけの「砂上の楼閣」いや「バベルの塔」である。

最大の問題は、国連事務総長までが「ショック・ドクトリン（Shock-Doctrine）」を掲げ、それに従わない国や企業に対し「SDGs違反」として、金融界からの援助や、欧米巨大ファンドからの投資が打ち切られると言明したことだ。

これを異常と思わない人間は、よほど頭がおかしいか、狂気の世界に順応し過ぎて何も感じなくなったかだろう。

同じやり口で、「コオロギ（ゴキブリと近似種）食」を受け入れない国、企業、個人は「SDGs違反」となり、「国際金融・銀行ピラミッド」を支配するロスチャイルドと、「世界基軸通貨」を支配するロックフェラーに、制裁を与える権限を無制限に開放する時が来たということだ!!

絶大な権力を握る直前の「国連事務総長」の席に、「世界総統」が座るのも間近かもしれず、その舞台が今の「国連」で既に起き始めている。

プーチンが戦っているのは、国ではなくそれを超えたロスチャイルド・ニムロド・ロックフェラーたち、つまりパワーブローカーである！

世界を戦争や大惨事を利用して、一気に資本家にとって都合よく変える資本主義の末期的症状、参事便乗型資本主義の「ショック・ドクトリン」の背後に「パワーブローカー」が存在する。

今の世界を支配しているのはアメリカ、EU、あるいは中国でもないし、ロシアのプーチン大統領が闘っている相手も、アメリカでもNATOでもない。

1812年、ナポレオンに巨大な軍資金を与えロシア征服に乗り出させたのがロスチャイルド、1905年、日本に莫大な資金を貸してバルチック艦隊を撃破させ、ヨーロッパの「明石機関」を通してレーニンに莫大な資金と武器を流し「ロシア革命」で「ロマノフ王朝」を倒したのもロスチャイルドだった。

さらに、2019年、ウクライナに「CIA」によって「ゼレンスキー政権」が樹立すると、ロスチャイルドが財務省に本格的に入り込んだが、ロシアが「クリミア半島」に進撃した翌年、2015年の段階で、既にロスチャイルドがウクライナ国債保有者団体の組織化を計画、ウクライナの債務再編をめぐり、複数の巨大投資家に国債保有者団体の組織化を呼び掛けていた。

「IMF（国際通貨基金）」のラガルド専務理事は、ウクライナ向け支援パッケージの総額を向こう4年間で約400億ドル（1兆5000億円）になると示し、この内ほぼ半分は「IMF」が支援するとしたが、「IMF」はロスチャイルドの持ち物である。

この時、「ウクライナ財務省」は、支援パッケージに民間部門からの資金最大150億ドルが含まれると表明したが、ポートフォリオマネジャーは「ロスチャイルドが債権者団体として参加しないかと尋ねてきたが、われわれは断った」とし、「依然として戦争中にある国の債務を適切に分析できない」と説明していた。

このことからロスチャイルドが金を出し、ロシアに向けNATOを東征させていたことが分かり、プーチン大統領が幾ら警告しても聞く耳を持たず、ロシアにロスチャイルドの魔の手が迫る前に、ウクライナを制覇してNATOとの「緩衝地帯」にせざるを得ない状況に置かれていたと分かる。

ましてバイデン大統領の息子らによって、遺伝子操作の「バイオ兵器産業」が、アメリカ国内で建設できないため、「ペンタゴン（アメリカ国防総省）」の闇予算「ブラック・バジェット（black budget）」で、ウクライナ各地に建設され、プーチン大統領はウクライナを何とかしないとロシアに明日はないと決断したことになる。

一方、アメリカを支配するのは「DS／Deep State（ディープステート）」のロックフェラーで、自分の持ち物であるアメリカ中央銀行「FRB（連邦準備制度理事会）」を使い「世界の基軸通貨」を支配するドイツ系とされるが、実はロスチャイルドの傍系で、ともに『旧約聖書』に登場する猛悪な王「ニムロド」の子孫である。

新大陸を目指したピュリタントは、旧世界で残酷な目に遭わされた「カトリック教会」と「ロスチャイルド」を拒絶したため、ロスチャイルドは傍系のロックフェラーをドイツ系といつわって新大陸へ入植させ、その後、ジョン・D・ロックフェラーに莫大な資金を送り、ロックフェラーを石油王に仕立て、銀行、鉄道、自動車、空運、化学、情報通信に進出させていった。

さらにロックフェラーは、主力の銀行持株会社チェース・マンハッタンがJ・P・モルガンを2000年に吸収合併し、J・P・モルガン・チェースとなった頃、ロックフェラーの総資産は、アメリカの国内総生産の20パーセントに匹敵する規模となった。

その後もロックフェラーの拡大は止まらず、エクソン（旧スタンダード・オイル）、モービル、メリル・リンチ、ディロン・リード、モルガン・スタンレー、ケミカル、チェース・マンハッタン銀行を吸収、エジソンのGE（ジェネラル・エレクトリック）、アライド・ケミカル、GM（ジェネラル・モーターズ）、ゲネラル・ダイナミックス、ボーイング、ペプシ、NBCを全て吸収、ロスチャイルドと重なるがAP通信も分配支配し、U・S・ニュース&ワールド・レポート、Wall Street Journal、CNNさえも手に入れ、さらに拡大中である!!

ロックフェラー財閥は、21世紀初頭で、分かっているだけで6400億ドル（83兆2000億円）の財産を管理、アメリカの巨大10大メーカーの内6社、10大保険会社の内6社、多国籍巨大企業200社を支配、資産は全アメリカ国民総生産の50パーセントを超えてしまった!!

一方、プーチン大統領の戦略は、ウクライナ支配の達成後、サウジアラビアとイランの協力を得て、ロスチャイルドとロックフェラーの組織が集約するスイスをEUとともに破壊する「第三次世界大戦」を勃発させることである!!

dystopia ㉕ プーチンとキリル総主教のウクライナ侵攻はロスチャイルドとロックフェラーの黄金ドーム破壊計画をぶち壊すためだった!!

プーチン大統領が「ウクライナ侵攻」を行った大義は、イスラエルの「第三神殿建設」が重要なファクターで、イスラム教の聖地に建つ「黄金のドーム」が破壊された段階で、全イスラム教徒が怒りを発して立ち上がるのを、「ロシア正教会」の熱心な信者だったプーチン大統領とキリル総主教が予見して動いていたのである。

ロスチャイルドとプーチン大統領の間で、その駆け引きがされているのが〝ロシアによる核兵器の使用〟がいつかで、ロスチャイルドが狂気に走ったプーチンを演出するには、「神殿建設」をイスラエルに止めさせ、その間にロシアを追い込んで、苦し紛れに核兵器を使わせれば、プーチン大統領は「ウクライナ侵攻」の大義を失うことになる。

つまりどの段階でロシアが核兵器を発射するかで、その後の戦争の大義が変わり、そのための我慢比べが今のウクライナにおける硬直状態である。

核の使用が先なら、ロシアは世界中の非難を浴び、イスラム諸国も動かないだろうが、先にイスラエルの「神殿建設」が起きれば、怒り狂ったイスラム教諸国を味方につけられるプーチン大統領は、堂々と「キエフ」と「オデッサ」を熱核反応で蒸発させ、アメリカがやった「広島」「長崎」と同じと宣言、アメリカを強くけん制するはずである‼

それでも最終的にアメリカは、ロシアとの〝全面核戦争〟を恐れ、本格的な参戦に中々乗り出さないだろうが、ロシアも馬鹿ではなく、つづくロックフェラーとの戦争の余力と大義を残すため、占領地域は「旧ワルシャワ条約機構」の範囲に留まり、EU内への進撃はイスラエル擁護を宣言するEU（特にフランスとバチカン）への怒りを燃やすイスラム連合軍100万と、EU内にいる膨大な数のイスラム難民が「聖戦（ジハード）」を叫んで一斉に立ち上がることになる。

それでもプーチン大統領は、ロスチャイルドの「国際銀行ピラミッド構造」の中核と、ロックフェラーの「国連機関」が集中するスイスだけは許さず、核兵器で消し去るだろう。

では対抗するNATO軍はどうするかというと、広島原爆の6600倍もの破壊力を持つ世界最大の超水爆「ツァーリ・ボンバ／AN602」を、プーチン大統領はヨーロッパ上空の高高度で炸裂させ、凄まじい大きさの火の玉でNATO軍兵器の全ての「基盤」と「チップ」を天文学的規模の「超電磁波シャワー」で焼き切り、只の鉄くずと化すため、NATO軍は総崩れとなり、トルコや地中海を超えて押し寄せる膨大な数のイスラム軍に駆逐されることになる。

一方、プーチン大統領は、ロシア軍の余力を対ロックフェラー戦のために残すと同時に、アメリカの参戦を遅らせるため、前述の通り、多くの部隊を旧ワルシャワ条約機構内に留めることで、「ウクライナ侵攻」の大義を守ることになる。

このように現在の国際社会は、イギリスのロスチャイルドと、アメリカのロックフェラーに支配され、彼ら「パワーブローカー」が命じれば、「第三次世界大戦」をロシアの全責任に転嫁して起こすことも可能なのだ。

「国連」は莫大な資金を捻出したロックフェラーの実質的な持ち物で、一方のロスチャイルドは「BIS／国際決済銀行（Bank for International Settlements）」を頂点とする「IMF（国際通貨基金）」「世界銀行」「中央銀行」、さらに下に毛細血管の役目の「銀行」を支配するため、「パワーブローカー」の命令で、ドイツもウクライナに全面協力しなければ、銀行もファンドも全てSTOPするため、国を維持するには絶対服従しか無くなったのだ!!

プーチン大統領は、そのロスチャイルドと今も闘っており、ロスチャイルドとロックフェラーが支配する基軸通貨のドルと為替を支配するポンドによる「国際巨大金融システム」とは違う、別の「巨大通貨システム」を構築するため、中国、アフリカ諸国、中南米、

インド、サウジアラビアと連帯しようとしている‼

一方、茹で蛙と化した日本人は、「ウクライナ頑張れ」「プーチン出て行け」と喚きたてるだけで、背後から打たれたビル・ゲイツ製母型ゲノム遺伝子操作ワクチン接種で、2024年には殆どが悶え苦しんで悶絶する……おそらく何故自分が死ぬことになったのかも分からないだろう……。

dystopia ㉖ 新たな人体実験か⁉　2機のアメリカ軍輸送機が山梨県の甲府盆地に何かを散布していた‼

日本人はパニックでほとんど何も考えず、「ファイザー」「モデルナ」「アストロゼネカ」等のゲノム遺伝子操作溶液を世界最大の接種率に邁進し、接種開始後、徐々に副反応が出はじめ、今や加速度的にバタバタ死に始め、2023年夏にはウクライナの死亡者より12万人多い加速度で死んでいる。

その為、火葬場が2～3週間待ちの有様で、接種後3年目に突入する2024年には、少なくとも遅延死ワクチンを1回接種した98197万2658回（全人口の77・98パーセント）は、身体の中に蓄積した老廃物の排出を促す「デトックス」をしなければ日本からいなくなる。

それでも非接種の2千万人以上は生き残るが、ビル・ゲイツは「ＳＤＧｓ」を盾に「コオロギ（ゴキブリと同じ節足動物門昆虫綱直翅目）食」を21世紀の世界食と偽り、遺伝子操作で「ゲノム巨大コオロギ」を創らせ、それをパウダーにして「調味料」「アミノ酸」表示で全加工食品と菓子に混ぜさせる結果、「スクレイピープリオンタンパク質（PrPSc）」を消化器系から摂取、「ＢＳＥ（狂牛病）」の〝肉骨粉〟と同じやり方を、「統一教会」と在日が支配する自民党が推し進めていく。

そんな中、終戦直後から日本を支配する「在日アメリカ軍」が、「新型コロナウイルス（ＣＯＶＩＤ－19）」発生前の２０１７年以降、再び「C-130 Hercules」で何かを日本人に散布し始めた……。

２０２３年4月20日、２機のアメリカ軍輸送機が、山梨県の「甲府盆地」の上空に突然現れ、２００メートル以下の低い戦闘機攻撃高度で街中を旋回飛行を繰り返したのだ。

2機の「C-130 Hercules」は、南部町方面から中央市を経由して八ヶ岳方面へ飛んだ後、再び中央市上空に戻って来て低い高度で旋回、その間、何かを散布していたと思われるが、それが日本人をモルモットの人体実験と判明しても、アメリカの傀儡（かいらい）の自民党では役にも立たないどころか、逆にアメリカと一緒になって行動してくる!!

２０１９年12月末に中国の武漢に現れた「ＣＯＶＩＤ－19」は、「ビル＆メリンダ・ゲイツ財団」が幾つかのゲノム医薬企業に開発させた、感染力が異様に強いが無毒に近い新型コロナウイルスで、世界規模の死者数は日本を含め全く変わらなかったが、只の病死、老衰、交通事故までコロナ感染死と「ＣＤＣ／アメリカ疾病予防管理センター」がカウント、各国の医療機関も同様のやり方に従ったため、世界中がパニックに陥り、日本では横浜港に足止めされた「ダイヤモンド・プリンセス号」以降、パンデミックが渦巻いた２０２０年末までの死者数が、前年度より少なかったにもかかわらず勝手に大騒ぎする事態に陥った。

実は、初期の頃から「ＣＯＶＩＤ－19」は感染しても幼児も死なない弱毒性ウイルスだったが、基礎疾患を持つ殆どの老人には有害（インフルエンザの方がもっと有害）とされ、国民的人気者のコメディアン志村けんの肺炎死が大きく、元々、基礎疾患だらけだった志村は、度重なる手術で体力が相当弱っていた矢先、風邪か弱毒コロナで死亡したと思われるが、ＴＶなどの報道で「新型コロナ死」となり日本人は大きなショックを受ける。

２０２１年3月から、医療関係者を中心に「ゲノム遺伝子操作遅延死ワクチン」の摂取を開始、その内、故郷のおじいちゃんとおばあちゃんと会うため、子供もワクチン接種しましょうとなり、親を中心に「子供殺戮運動」が全国規模で展開する。

２０２２年12月、山梨県が公表した記録では「今年の全死亡者の７割近くは何らかの基礎疾患があり、６割はワクチンを2回以上接種していた」と公表、「最終療養先（死亡場所）は、病院が１２４人で73％を占めた」と、ゲノム遺伝子操作ワクチンの効果がほとんどないことを暗に認めるデータになった。

それでも日本人は「コロナウイルス感染症は8割の人では軽症で済むが、一部の人は重症化し肺炎を起こす」ニュースを信じて接種会場に足を運んだが、肺炎死は「ＣＯＶＩＤ－19」登場以前から日本の死亡原因のＴＯＰクラスとは知らなかったようだ。

２０１５年の時点で「次の数十年で1千万人以上が亡くなる災厄は、戦争ではなく感染症だ」と予言していたビル・ゲイツは、さらにこう予言していた。

「僕たちの財団は貧しい国の感染症対策に力を入れていて、スペイン風邪から重症急性呼吸器症候群（ＳＡＲＳ）まで、過去１００年のあらゆる〝アウトブレーク（感染爆発）〟について研究している。その中で、人々が国境を越えて頻繁に移動するようになったことで、呼吸器系のウイルス感染症が瞬く間に広がることに気づいたのだ」

「専門家を集めて『何か、パンデミックの到来を防いでいるものがあるのか』と尋ねたら、

『基本的には何もない』という答えだった。この100年の間、我々は単に運がよかっただけで、いずれ運は尽きる。だから、準備しないといけない」

こうして起きたのが、パンデミックによる「ショック・ドクトリン」で、ショックを受けた世界（特に日本人）はパニックに陥り、今では世界中が接種をしなくなったワクチンを接種しつづけて死んでいき、さらに自分の子供にも接種をさせていく……。

dystopia ㉗ 永遠に繰り返すぞ！　ショック・ドクトリン＝大惨事便乗型資本主義とは、大きな惨劇で人々の頭をパニックにして、すべてを奪い尽くす戦略のことである‼

ショック・ドクトリンの意味は、イギリスの「産業革命」で始まった、資本家と銀行による「資本主義」が〝ゆりかごから墓場まで〟を達成できずに行き詰まり、イギリスのサッチャー政権から国営企業を全て民営化する「新資本主義」が登場、払い下げられた国営の利権で資本家が巨万の利益を得る構造となる。

さらにアメリカのレーガン政権で更なる利益を得る「グローバル資本主義」が拡大、貧しい国の賃金水準で製造できることからグローバル企業が巨万の利益を得る中、工場が消えた国内が疲弊、一方世界の工場でグローバリズムを支えた中国の台頭で、西側陣営は巨大化した「共産主義国家」の壁にぶつかることになる。

ここに来てついに「拝金主義」が極まり、苦し紛れに出てきたのが「ショック・ドクトリン」という名の「惨事便乗型資本主義」である!!

要は「大きな惨劇で人々の頭が真っ白になった隙に乗じて全てを奪い尽くす資本主義」を意味し、騙す手口は〝新しい秩序への移行〟で、日本で誰も経験したことがない〝アメリカ式劇場型選挙〟だった「小泉劇場」のショックを与えた小泉（朴）純一郎首相の「郵政民営化」と、竹中平蔵の「トリクルダウン経済」で、日本から中間層が消えて正社員も激減、国民は一気に貧しくなったが、大企業は「減税対策」で莫大な利益を得ても、その膨大な利益の殆どを還元せず、「社内留保」と税免除のスイスの「プライベートバンク（ロスチャイルドの資産銀行）」を中心とする「タックス・ヘイブン／租税回避地（Tax Haven)」に回し、日本国民まで降りてこない。

２０２１年の段階で、「Amazon」創業者ジェフ・ベゾスは、２０１１年、２０１７年の税金を納めず、電気自動車のテスラの創業者イーロン・マスクも２０１８年の納税はゼロで、イギリスの「スターバックス」が治める税金は貧しい老女が治める税金よりも少なかった。

その意味からすれば、「コロナ・ショック・ドクトリン」を世界に仕掛けたビル・ゲイツは資本家として見事に成功し、次の第二弾の「ショック・ドクトリン」も日本人を人体実験に開始したことになる。

２０２２年2月18日～22日、ドイツで開催された「ミュンヘン安全保障会議」の席で、ビル・ゲイツは更なる強力なショックを打ち上げた!!

「われわれは再びパンデミックを体験することになる!!」

「次はまた、違う病原体になるだろう!!」

しかし、全てビル・ゲイツが仕掛ける偽パンデミックで、今度のビル・ゲイツ製「惨事便乗型資本主義ウイルス」は、２０２４年に世界中でバタバタ死に始める「ファイザー」「モデルナ」「アストラゼネカ」の遅延死をカモフラージュする、別の無毒性パンデミックウイルスで、既に遅延死ワクチン接種者の免疫機能は、ほぼ完全に破壊されているため、風邪だけで接種者は死亡する!!

21世紀最大の人道家ぶる詐欺師は、「ＣＯＶＩＤ－19」ではない別の似非ウイルスで、「ファイザー」「モデルナ」「アストロゼネカ」の接種者が耐えられない〝猛毒ウイルス〟が出てきたと世界中を騙すのである!!

いや、世界はなかなか騙されないだろうが、「1億総白痴」「茹で蛙」の日本人は、今度も簡単に騙され、2024年に遅延死で死ぬ膨大な数の接種者を見て恐怖に陥り、再び「ショック・ドクトリン（惨事便乗型資本主義）」の餌食になる……。

大体、ビル・ゲイツも自分が死ぬようなウイルスを発生させては意味がないため、次のパンデミックウイルスも全く安全で、再びその人体実験を、2023年春から日本人をモルモットに、アメリカ軍が高度200メートルの攻撃高度からの輸送機散布「ケムトレイル」でやり始めた可能性がある。

ビル・ゲイツの虐殺を誤魔化すのが〝第二次パンデミック〟による大量死で、ビル・ゲイツをディレクターに使う「パワーブローカー／Power Broker」のイギリスのロスチャイルドとアメリカのロックフェラーは、更なる「大惨事便乗型資本主義」を起こす為、ウクライナに向け一刻も早くロシアに「戦術核兵器」を使わせ、アメリカとイギリスの「世界統一政府」に邪魔なドイツやフランスなど、EUをロシアに殲滅させる「第三次世界大戦」をヨーロッパで起こし、その後の「New World Order（新世界秩序）」を支配するのである!!

「世界統一政府」にとって無用の長物と化した「国際金融&銀行システム」や「国連機関」の中核のスイスなど、「イルミナティ／Illuminati（Late-day（後期））」のロスチャイルドとロックフェラーにとれば、ロシアにくれてやってもいいが、ウクライナへの戦術核攻撃が、イスラエルの「第三神殿」の建設前か後で大きく違ってくる。

「第三神殿」の建設前なら、イスラム勢力がロシアに付くことはなく、ロシアはウクライナへの先制核攻撃を最後に勢いが止まり、プーチン大統領は面子（メンツ）を賭けてスイスへの核攻撃でNATO軍を敵に回し、結局は「第三次世界大戦」の勃発からともに疲弊し、「パワーゲーム」から駆逐される。

建設後でも、イスラム諸国100万の軍勢で「第三次世界大戦」をヨーロッパ全域で起こした後、アメリカが正義の旗を掲げて参戦して全イスラム軍を駆逐、暫く間を置いてからロシアと中国を「ハルマゲドン」におびき寄せ、「人類最終兵器：プラズマ兵器」で焼き滅ぼせばいい……。

Part 4

GHQの仕掛け！ 統一教会、創価学会、在日、自民党、清和会のステルス支配の中で「ゲノム遅延死ワクチン」を打ちまくった日本人を襲うのは、殺されながら全財産を奪われてゆくディストピアのみ！

「憲法第九条」は事実上消滅！　アメリカ軍撤退が加速する中、統一教会と在日に支配される日本は、終焉5分前⁉

2023年に入ってからも、在日アメリカ軍（主に海兵隊）が沖縄から撤収の動きを加速させるのは、中国人民解放軍が発射する中距離核ミサイルから逃れるためである。

在日アメリカ軍は、中国から米軍基地を射程にする高精度の数百発に上る「弾道ミサイル」など各種ミサイルによる〝飽和攻撃〟を受けたら最後、完璧な防御は不可能と判断し、戦闘機を常駐させることも止めた。

1952年、占領下の日本がアメリカと交わした「日米安全保障条約」には、アメリカが日本を守る条項は無かったが、1960年の「新日米安全保障条約」により、外部からの日本への武力攻撃に対し、アメリカは日本を防衛する義務を負うことが明記され、同時に日本の施政権下にある領域内でアメリカ軍が武力攻撃を受けた場合、それを防衛する義務を日本が負うことも規定され、平等相互の援助条約へと変わった。

同時に「日米地位協定」も結ばれ、未だ続く日米人権格差における差別が横行する原因となり、さらにアメリカ軍が日本の政治を「横田基地」から決定する「Japan-US Joint Committee（日米合同委員会）」の最悪の温床ともなった。

１９７０年、条約の自動更新が定められたが、そこには領海外の海上や空域は含まれていなかった為、２０１４年、安倍政権によって「集団的自衛権」が強行採決、「自国と密接な関係にある外国（主にアメリカ）に対する武力攻撃を、自国が直接攻撃されていないにもかかわらず、実力をもって阻止する権利」を法案化、「憲法第九条」に一部が抵触するため、次に「日米合同委員会」は、「ＧＨＱ」が戦後日本に押し付けた平和憲法の合法的破棄を命じている。

２０２３年8月19日、アメリカのバイデン米大統領は、ワシントン郊外の大統領の別荘「キャンプデービッド」に日本の岸田首相と韓国の尹錫悦（ユン・ソンニョル）韓国大統領を招待し、アメリカを含む3者で「日米韓首脳会談」を行い、複数の共同文書を発表した。

岸田首相は「日米同盟」だけでは日本は守れないとし、今回の三者会談を「日米韓のパートナーシップの新時代」と絶賛、3首脳は口を揃えて〝歴史的〟と意義を強調したが、北朝鮮と「朝鮮戦争」の戦争継続状態にある韓国と、アメリカを介して手を握ったことから「憲法第九条」は事実上消滅となる。

そんな中、「嘉手納基地」から54機のF15が撤退し、以後、戦闘機の常駐ナシが決定、時々、「F－22ラプトル」が飛んでくる程度だが、既に高高度の気球を落とす程度しか使われないほど前時代のステルス機になっている。

問題は、常駐して基地周辺で常に航空自衛隊と合同訓練を実施する部隊と、アラスカからローテーションで飛来してくる「F－22ラプトル」とでは、空域特性や周辺環境などの認識差があり、防空能力に影響する以上、航空自衛隊にメリットは何もない。

２０２３年1月26日、沖縄に駐留する海兵隊約４０００人の移転先である、グアム基地「キャンプ・ブラズ」の発足式典が開催され、２０２４年から沖縄からの部隊移転が本格的に開始する。

そんな中、アメリカ軍が同盟国から撤退する動きは、アフガニスタンやイラク撤退どころの話ではなく、アメリカは信用を落とし「核の傘」さえも信用できなくなる……。

そこでアメリカは、「新日米安全保障条約」を盾に、まず日本が自国を守る体制を整えることを命じ、激減させた駐留部隊の海兵隊を、一部小規模な「ＭＬＲ（海兵沿岸連隊）」として沖縄の島々に残すことで面子を保つことになった。

が、こんな縮小アメリカ軍に日本が支払った膨大な「おもいやり予算」は一体何だったのかという矛盾は埋まらず、埋まるどころか「横田基地」のアメリカ軍の将校が、日本の省庁の官僚ＴＯＰを隔週で呼びつけ、「Japan-US Joint Committee（日米合同委員会）」での決定を、政府自民党に法案化させる支配構造から、矛盾など大きく通り越した国家詐欺であり、さらなる「火事場泥棒」「盗人に追い銭」の裏切り行為となる。

「キャンプデービッド」から帰国した岸田首相が在日シンジケートと決行することは、本丸である「憲法第九条」の改憲、いや廃止となる。

在日シンジケートにとってアメリカ軍の命令は絶対で、在日系が支配する自民党の圧倒的多数派は「改憲推進本部」で、憲法改正に関する議論の状況を「憲法改正は、わが国が初めて取り組む歴史的事業である!!」「国の民主主義と立憲主義を高めるものである!!」と意気盛んだが、「清和会」を筆頭とする在日シンジケートが支配する日本の民主主義とは一体何なのか？

大和民族は、アメリカ軍が使う在日朝鮮人にいいように扱われ、政治も支配されて振り回され、戦場どころか日本列島の中で「ゲノム遺伝子操作溶液」で大量に遅延死されていく……。

このトンデモナイ体制に対し、抵抗運動でもしようものなら、在日総理が任命する警察庁長官の命令で、スグに「警察」がやってきて連行、もし火炎びんや角材で組織的抵抗をしようものなら「機動隊」が出動して鎮圧、仮に重火器で武装してゲリラを行おうものなら在日総理の命令で「自衛隊」が出動して撃破、一部の自衛隊が味方になって反乱を起こせば、トンズラしていた海兵隊がグアムから一気に押し寄せて壊滅される。

つまり、終戦直後の薩摩の大久保利通の一族だった吉田茂が、「WGIP（戦争についての罪悪感を日本人の心に植え付けるための宣伝計画）」を受け入れ、「在日特権」「在日就職枠」「特別永住権」「通名制」を容認した結果が今の日本の有様で、吉田茂の孫の自民党副総裁の麻生太郎は、唯一の国賊の生き残りとなる。

統一教会と血肉まで一体化した自民党「清和会」は、天皇を韓国系と入れ替え、神道を廃止、統一教会も国教にしようとしていた⁉

「統一教会」と血肉まで一体化した自民党から、統一教会だけを引き剝がすことは不可能で、その癒着ぶりは国政より地方の自民党の方が致命的だ。

2022年7月8日、奈良市の「近鉄大和西大寺駅北口前」で暗殺された安倍（李）晋三の死を惜しみ、「安倍第三次内閣」を期待した自民党岩盤層の失望感は計り知れない。

もし安倍（李）晋三が生きていたら、東京の「アメリカ大使館（極東CIA本部）」の指示を仰ぎながら、天皇陛下が搭乗する「日本政府専用機」を軍事衛星の電波でハイジャックして墜落させた後、緊急事態を宣言して「女性宮家設立」で眞子を皇籍復帰させ、皇位継承権を持つ秋篠宮と協力し、眞子の夫の小室（Kim）圭を臨時天皇とし、同時に超法規措置で「統一教会」を「神道」と入れ替えて国教にする寸前だった。

その朝鮮民族の男の『回顧録』（中央公論新社）が、出版不況の中で増刷を重ね、27万部の大ヒットをさらに更新している。

「統一教会」は、在日自民党の巣窟「清和会」との協力関係で自民党を支配し、第二次安倍内閣発足後は、教団との関係がより深まり、安倍元首相を最高家族の〝식구／食口（シック）〟にすることが認定、安倍（李）晋三も圧倒的議席数で法律を改正、強行採決で日本の「永久総理大臣」となり「日本の王」として君臨するはずだった。

さらに、自民党の国会議員１００人を「統一教会」の兄弟姉妹〝세련된〟にすることも決定、その戦略文章も残されているが、在日が支配するＮＨＫをはじめとする民放各局も黙殺し続けている。

２０２１年、そんな中で安倍（李）晋三の「統一教会」への「お母さま」に対するビデオメッセージが発信される。

「朝鮮半島の平和的統一に向けて努力されてきた韓鶴子総裁をはじめ、皆様に敬意を表します。家庭の価値を強調する点を高く評価します」

これが山上容疑者に暗殺を決意させたビデオメッセージとなる。

「統一教会」の関連組織「天宙平和連合」の日本支部会長、政治団体「国際勝共連合」の会長だった梶栗（かじくり）正義は、安倍（李）晋三について以下のように述べている。

「アルバムを準備してお写真をお見せして、そのうちのひとつに、アボニム（文鮮明）と岸（信介）先生。

それだけじゃなくて、（父の）梶栗玄太郎と岸先生の写真があると。安倍晋太郎先生と、梶栗玄太郎の写真があるんです。

それをその次に入れて、私とこの方（安倍晋三）とのツーショットの写真がある。それも一緒にして、見て下さい。3代のお付き合いだと、3代の因縁であると!!」

最も文鮮明と深い関係にあったのが安倍晋三の祖父の岸（李）信介元首相で、「清和会」で自民党を圧倒支配する勢力になる。

と同時に、1982年、韓国で行われた「統一教会」の合同結婚式に、当の岸元総理が祝電を送っていた。

「天を中心とした理想と信念のもとに指導し、教育しておられる。私が文鮮明先生を心より尊敬する所以であります」

実はこの頃、文鮮明はアメリカで脱税の容疑で非常にまずい状況にあった。１９８１年10月、文鮮明はアメリカの司法省から脱税容疑で起訴され、起訴内容は１９７３～75年までの３年間に個人名義の銀行預金約１６０万ドルの利息約11万２０００ドルなど、合計16万ドルの所得申告を怠っていた。

翌82年7月、陪審員による第一審の結果、懲役18カ月、罰金２万５０００ドルの有罪判決が下され、83年9月、「連邦控訴審」でも再び有罪判決が下され、84年5月、「連邦最高裁判所」で上告棄却となり判決が確定、その結果、文鮮明はコネチカット州の「ダンベリー刑務所」に収監され13カ月間服役することになる。

１９８４年、岸（李）元首相は、当時のロナルド・レーガン大統領宛に送った親書が残されている。

「本日、大統領にお願いをしたいと思います。文（鮮明）尊師は現在、不当に収監されています。あなたのご協力のもと、何としてでも、一刻も早く、彼が不当な収監から解放されるよう、お願いいたします」

「文尊師は、自由の思想を掲げ、共産主義の誤りを正すことに人生をかけている、誠実な男だと私は理解しております。彼の存在は、現在も将来も自由と民主主義の維持にとって、貴重で不可欠です」

岸の目論見は失敗したが、文は出所後、来日して当時の自民党在日議員のボスだった金丸（Kim）信副総裁と、中曽根元総理とも会談をしている。

アメリカ統一教会の元幹部アレン・ウッドは、文鮮明の正体をこう語っている。

「イデオロギーで心を摑めなければ金で買収すればいいと言っていました」

「（あれは）教会ではありません。政治団体であり、そのゴールは権力を握ることです」

「文鮮明はこう言いました。『今は自分にあらがう者も多いが、将来は自分の言葉がほとんど法律のようになるだろうと』ね」

その「統一教会」を「神道」と入れ替えるため、「アメリカ大使館（極東ＣＩＡ本部）」のエマニュエル大使と一緒に天皇暗殺を企てようとした張本人が、大和の地で暗殺されたことで「諏訪大社／下社春宮」の「筒粥神事２０２２」が成就したことになる。

２０２２年の「筒粥神事」は、条件付きの「三分六厘」で、運気好転の1厘が起きることが条件での実質三分五厘の三行半（みくだりはん）だった。

「今年は上下の波が大きい印象。御柱年となるが、今はひたすら我慢をし、気を付けて過ごしていけば運気が好転するのではないかと期待を込めた」

２０２２年3月5日、「殺生石」（天皇家を滅ぼそうとした安倍普太郎のことか）が突然真っ二つに割れ、２０２２年12月7日、今度は「殺生石」の周囲で「猪」8頭が死んだ不可解な事件で様々な噂が飛び交ったが、8頭の「猪」を8ツの♡型の「猪目(いのめ)」とし、円形に並べたら「十六菊花紋」となることから、皇居を楠木正成像とともに天皇陛下を守る和気清麻呂像の「随身」「神使」が「猪」であることから、「呪」による等価交換と考えられる。

8頭の猪の死は、天皇徳仁(なるひと)陛下暗殺の獅子身中の虫だった、李氏朝鮮の血を引く安倍(李)晋三の暗殺が、ラストエンペラーの証となる「神一厘」のため、「統一教会」も「自民党」も断ち切られ、「在日アメリカ軍」も「アメリカ大使館」も例外ではなくなる……。

dystopia ㉚

新しい流れ!?　グラミン銀行創始者ムハマド・ユヌスは、最悪の出来事の根源は銀行にあるとし、極まった拝金主義はディストピアを誘発することを見抜いていた!!

バングラデシュ出身の経済学者で実業家のムハマド・ユヌスは、2006年の「ノーベル平和賞」を受賞したが、その理由は同国で始めた「グラミン銀行」の創設が画期的だったからだ。

「グラミン銀行」とは、「マイクロクレジット」と呼ぶ貧困層対象の「低金利無担保保融資銀行」で、主に貧しい農村部で活動したことへの賞賛が集まったからだ。

実際、「グラミン銀行」は、地方のインフラ、地方通信、地方エネルギーなど多分野で低金利融資を行い、「グラミン・ファミリー」と呼ぶソーシャル・ビジネスを展開していった。

一方、ロスチャイルドは「国際金融銀行ピラミッド」をスイスを中心に構築し、世界中の資金と資産を一手に吸収、「銀行法」を支配して、「グローバルサウス」の国々やインド、中南米、東南アジアを「ＳＤＧｓ／持続可能な開発目標（Sustainable Development Goals）」で締め上げ、欧米西側陣営に与するよう圧力を掛けている。

その金融ピラミッドを支えているのが、アメリカ、イギリス、カナダ、フランス、ドイツ、イタリア、日本の「Ｇ７／Group of Seven」で、日本語でいうと「主要国首脳会議」「先進国首脳会議」だが、その裏の名前は「７カ国財務大臣・中央銀行総裁会議」といい、ロスチャイルドが「国際金融銀行ピラミッド」で支配し、ロックフェラーも「基軸通貨制度」の持ち主として一枚も二枚も嚙んでいる。

ムハマド・ユヌスは、今の西側陣営の金融と銀行を中核とする「民主主義」という名の「資本主義」の本性である「拝金主義」を見透かしていた。

「グラミン銀行」の創設者であるムハマド・ユヌスは、「世界を動かしている経済システムそのものに問題がある。システムを設計し直さないといけないが、多くの人が誤った資本主義のイメージや人間像に囚われている!!」と警告、さらにこう言ってのけた。

「今の世界で起きている最悪の出来事の連続性における諸悪の根源は〝銀行〟にある!!」と。

フランスの経済学者トマ・ピケティを中核とする「世界不平等研究所」が分析した「世界不平等レポート２０２２」は、〝世界の上位１パーセントの富裕層が世界の富の約40パーセントを保有している（２０２１年）〟とし、前回の「世界不平等レポート２０１７」では〝上位１パーセントの富裕層が占める富の割合は22パーセント（２０１６年）〟だったことから、富裕層の富の独占が急加速していることが読み取れる。

さらにムハマド・ユヌスは、２０１９年に発覚し２０２０年に世界に拡散した「新型コロナ・パンデミック」が、「ロックダウン（都市封鎖）」等で「経済システム」全体が動きを止めた際、「エンジンを再始動させてはならない。元に戻してはならない!!」と訴え、「過去に造られた〝経済マシン〟は、貧困、環境破壊、気候変動など様々な問題しかもたらさず、決して後戻りしてはいけない!!」と主張した。

しかし、欧米諸国は日本を含め、元来た道へ戻ることを良しとし、様々な大型救済策を打ち出すと同時に、ロスチャイルドとロックフェラーが望むように、巨額資金を投じて経済エンジンを再始動させてしまった……。

ムハマド・ユヌスは、以前に増して「拝金主義」が暴走した上、更なる別物に変貌する恐怖世界「ディストピア／Dystopia」を予見していた!!

案の定、出てきたのが「ショック・ドクトリン」という名の「惨事便乗型資本主義」である!!

要は「大きな惨劇（ショック）を与え、人々の頭が真っ白になった隙に乗じて全てを奪い尽くす資本主義」を指し、騙す手口は〝新しい秩序への移行〟という名の「ＳＤＧｓ」が目指す「New World Order（新世界秩序）」で、その推進者がロスチャイルドとロックフェラーの「イルミナティ（後期）／Illuminati（Late-day）」という仕掛けである。

日本のような先進国でも15パーセントの世帯は「相対的貧困状態」に陥り、子供に最低限の食事さえ与えられない貧困層が激増、それが一気に進んだのが自民党の小泉（朴）純一郎による新自由主義を掲げた、郵政改革という名の「郵政民営化」で、３００兆円もの日本人の資産（郵貯・簡保）がロスチャイルドの「国際金融銀行ピラミッド」に組み込まれ、ヘッジファンドに流れていった。

さらに、小泉改革の名で一緒に組んだ似非経済学者の竹中平蔵による詐欺経済論「トリクルダウン」で、正社員と中間層が一気に消滅し、無駄な人間を企業から追放する「アメリカ式合理主義」、富の独占を善とする「アメリカ式経済」、勝ち組を優遇する「アメリカ式拝金主義」と入れ替わっていった。

世界を資産で支配する「欧米型経済システム」は、富とリソースを底辺から吸い上げ、頂点に送るよう設計され、そのため、底辺は常に空っぽで何もない状態のまま放置されていく。

その結果、頂点にいるごく少数の富裕層だけが豊かになる一方で、膨大な底辺層には全体の富のほんの一欠けらしか残らない仕組みが、欧米西側陣営の民主主義という名の「資本主義」「新資本主義」「グローバル資本主義」「惨事便乗型資本主義」で、ロスチャイルドとロックフェラーが食い物にするウクライナと闘っているのが、プーチン大統領の「ウクライナ侵攻」の旗頭である。

今回のロシアとの戦いが長期戦になり、非常に高い確率でウクライナが「債務不履行／デフォルト（default）」に陥った場合、その場合の莫大な借金の「連帯保証人」が日本になっている事実を、自民党から何も聞かされていない日本人は只の阿呆である。

dystopia 31

これもショック・ドクトリン（復興ビジネス）か⁉ ハワイマウイ島の山火事でうごめく投資業者たち！ バイデン政権の仕掛けで、エリア52の最新ＨＡＡＲＰが稼働した⁉

ロックフェラーを筆頭とする大財閥と大資本家たちは、巨大投資ファンドを利用して大型不動産業者を動かし、アメリカ型末期資本主義といえる「ショック・ドクトリン（惨事便乗型資本主義）」を連続させ最後の爆裂的荒稼ぎを決行している。

末期資本主義とは、「拝金主義」が行き着いた先にある当然の終着点で、〝大惨事につけこんで実施される過激な市場原理主義改革〟を指し、２０２３年８月８日、ハワイのマウイ島で大規模な山火事が発生し、ラハイナを中心に２７００棟の建物が焼失した大惨事すら金儲けに利用する。

観光地ハワイを襲った信じられないＮＥＷＳが、全米から世界中に流れた際、スグに動き始めたのがアメリカの大資本家と巨大不動産業者で、まだ傷も癒えないハワイ山火事被害者たちに「家を売れ‼」「今なら高く買う‼」と連絡が殺到し始めたのだ‼

８月14日、「ＮＢＣ放送」等の巨大メディアは、ハワイ州マウイ島に不動産投資業者からの連絡が殺到していると報じ、島民の様々な声を放送した。

「家主が不動産投資業者から土地を買うという連絡を受けている。吐き気がする」

「ラハイナは販売用ではない。人生で最も耐え難い時間を過ごしている人々を、どうかこれ以上利用しようとしないでほしい」

ハワイ州当局もこのような〝非人道的投機行為〟を防止する対策を施行すると明らかにし、ジョシュア・ブース・グリーン州知事も、「不動産業者を名乗る人間が悪い意図を持って住民たちに火災被害を受けた家を売るよう連絡をしている」「破損した不動産の販売を猶予できる方案を模索するよう州法務長官に要請した」と語った。

さらに知事はＳＮＳで「悲しみに浸り、再建する機会を持つ前に、我々住民から土地を奪おうとするのは希望ではない。我々はこれを容認しない」と強調した。

「ＦＴＣ（アメリカ連邦取引委員会）」はＳＮＳを通じて、「詐欺師が安全検査官や公共機関職員などを装って清掃や修理を提案した後、現金の支払いを要求したり、『ＦＥＭＡ（連邦緊急事態管理庁）』を名乗って、申請手数料名目でお金を取る危険性がある」と警告した。

州知事はラハイナの再建に60億ドル（８７００億円）が必要と推算する中、行方不明者は１３００人に達し、その殆どが命を無くしたと思われる。

マウイ島では前々から建設用地が不足し、住宅価格も高騰、観光の中心のオアフ島では1軒の家が1億円もざらではなく、ハワイ先住民は家を建てるにも手が出せないどころか、超物価高で日常生活も出来ない有様に陥り、ラスベガスに移り住む先住民が激増している。

今回の大災害には謎が多く、当日、ハワイ諸島の南西を通過していたハリケーン「ドーラ」が熱帯性低気圧に変わっても、マウイ島には強風が吹き荒れ、停電が町を襲う中で山火事が発生、マウイの「危機管理局」が故意に山火事当日に警報を鳴らさなかった。

その説明が、「サイレンが津波警報として使われるのが多いため、ラハイナの住民がその音を聞いて高台へ逃げてしまい、急速に広がる炎の通り道に入り込む可能性を恐れていた」だった。

8月17日、ハーマン・アンダヤ危機管理局長は、責任を取って辞任したが、この人物は危機管理の経験が全くない素人役人で、実際、マウイ島には高度な「警報システム」が完備され、島内にサイレンも80基が設置、毎月1日に試験運用も行われ、ラハイナでは60秒のサイレンが日常だった。

今回、マウイ島で懸念されるのが、2005年8月末にアメリカ南東部を襲ったハリケーン「カトリーナ」によるニューオーリンズの繰り返しとされている。

港湾都市のニューオーリンズが壊滅状態に陥った際、ジョージ・W・ブッシュ大統領は、

「ショック・ドクトリン（惨事便乗型資本主義）」の推奨者、ミルトン・フリードマンの指示を仰ぎ、洪水で流された低賃金労働者地域を、復旧ではなく、新たな開発地域として投資家と巨大不動産企業が押し寄せ、州政府と組んで瞬く間に巨大プロジェクトが動き、別の街へ再開発してしまったのである。

２００６年に94歳で亡くなったフリードマンの主張は、「危機のみが変革をもたらす!!」「危機が発生したら迅速な行動をとることが何よりも肝要!!」「現状維持の悪政に戻ってしまう前に経済改革を実行すること!!」だった。

言い換えれば、巨大資本家が莫大な利益を合理的に得るには、大災害や戦争を起こせばいい理屈になり、現実的に今、ウクライナで起きているのが「復興ビジネス」の過熱で、ロシアがミサイルを発射する中で、欧米の巨大ファンドや投資家がウクライナを「復興ビジネス」の投機先として動くのは、自民党の岸田首相がウクライナの連帯保証人になっているからで、「国際金融銀行ピラミッド」の支配者ロスチャイルドと、「ウォール街」「国際基軸通貨」の支配者ロックフェラーが、日本の莫大な資金（日本人の借金として取り立てられる）を担保に「Shock-Doctrine」を決行する!!

ハワイのマウイ島の大惨事も、バイデン政権が仕掛けたのではないかの憶測が広まっている……もともと「軍産複合体」のアメリカは「マッチポンプ」が常の国で、〝火をつけてから消す〞のがアメリカの公共事業になっている。

さらに、バイデン大統領の不可解な態度も問題化しており、デラウェア州のレホボス・ビーチに滞在中に起きたマウイ島の大惨事について記者から問われると、「ノーコメント」と答えただけで、翌日でさえ「人道的活動から資源や関心を奪うことを懸念したからだ」「邪魔したくない。被災地はこれまで数多く訪れてきた」「進行中の復興作業を妨げないようにしたい」とわけが分からないコメントを残している。

実はこれには重要な裏が隠れていて、ハワイの先住民の血が入った「1／2ハーフ」「1／4クォーター」のみ、ハワイの不動産の超物価高でも、年1ドルで住宅が供給され、毎年の更新も可能という公共サービスがあり、その家屋が一夜で消滅した以上、公共事業を全て民間企業に移すことで観光業もハワイ経済もさらに活性化すると唱える「Shock-Doctrine」の思うツボが一気に動く可能性があるのだ。

なぜそう言えるかというと、既にバイデン政権下で、ウクライナを舞台に〝復興〞という美名で、惨事便乗型資本主義が「G7」の承認を得て動き始めたからだ!!

そうなると、マウイ島で火災が同時発生した3地点も気になる……2011年3月11日の「東北大震災」の震源地が、福島県沖の3カ所同時だったことと一致、今も稼動しているアラスカの「HAARP」がハリケーン「ドーラ」を誘導する中、ユタ州の「エリア

52」の地下に存在する最新鋭の「HAARP」が、電離層の反射を利用した3地点で発火させた可能性が出てくるのだ。

ロックフェラーの私物「国連」の「地球沸騰化」「ショック・ドクトリン」に騙されないための情報を渡します！

２０２３年８月27日、アメリカNYの「国連ビル」で、アントニオ・グテーレス国連事務総長が、８月の世界の月間平均気温が過去最高を更新する見通しとなったとし、記者団の前で「地球温暖化の時代は終わり、地球沸騰の時代が到来した!!」と警告した。

一方、日本でも同年８月、全国的に異常高温が続き、次々と記録的な暑さが続く中、夏休みが短い北海道全域の小中学校で、臨時休校や繰り上げ下校などの対応が相次いでいる。

函館市では24日から２学期が始まる予定を、市内の公立小中学校など全てを臨時休校にすることが決定、その数、公立幼稚園１校、小学校38校、中学校18校、義務教育学校１校の合わせて58校となる。

旭川市では、24日も「熱中症警戒アラート」が発令され、市内77の小中学校のうち61校で下校時間を早める措置をとった。

根室市では、熱中症対策のため根室市、別海町、中標津町、標津町の全ての小中学校と義務教育学校で給食の後に繰り上げ下校が決定した。

帯広市では、市内殆どの小学校と義務教育学校の一部のクラスで、授業を午前中で終え、下校時間を繰り上げることになった。

十勝の各自治体の教育委員会は、5つの町と村の小中学校で24日の臨時休校などの措置を決めた。

北見市も、小学校17校と義務教育学校1校、高校1校、特別支援学校1校を臨時休校し、小学校3校と13の中学校全てで午後から臨時休校となった。

それでも敢えて「地球温暖化」は皆が危険にするほど致命的ではなく、すぐに元に戻るというのは、70年前のデータがあるからだが、それはそれとして、突然、「地球沸騰化」という「ショック・ドクトリン」に国連が舵を切ったことの方が大問題だ。

日本のTV局もそれと呼応するように、全国都道府県の最高気温を伝え、日本各地どころか北海道全域まで地球沸騰化が進んでいます風に報道し、元凶のCO_2排出をゼロにしなければなりませんと報道するが、これには全く科学的根拠がない。

例えば、神奈川県で最高気温39℃を記録しましたということ自体、事実は33パーセントしかない……残りは全て事実ではない。

この気温は、県庁所在地の気温計が主体で、気象庁の「アメダス」が都、府、県、振興局別、観測所番号（1〜5）順に升目状に記載した観測地点データを公表しているに過ぎない。

気温の測り方も、風通しと日当たりの良い箇所で「電気式温度計」を用いて芝生の上1・5メートルの位置で観測し、「電気式温度計」も直射日光に当たらないよう通風筒の中に格納し、通風筒上部に電動のファンもあり、筒の下から常に外気を取り入れ気温を計測している。

そのどこに問題があるかというと、観測所は県庁所在地や大きな市に置かれるため、芝生とはいえ周囲の殆どはアスファルト道路と熱を反射するコンクリートで囲まれ、特に黒いアスファルトは極めて熱を溜め込む性質があり、溜め込んだ熱を日中だけでなく夜間も大気へ放出し続けるため、毎晩「熱帯夜」が引き起こされ、特にアスファルトは太陽から受ける熱を四方八方に反射する結果、熱がドーム状に拡散することになる。

つまり、都市部だけが「ヒートアイランド現象」で異常高温なのであり、それは欧米とて同じである。

一方、市街地から外の山間部や村では、夏の暑さは毎年のことだが、都市部の高温には程遠く、「地球沸騰化」とほとんど関係なく、「今日の長野県甲府市の最高気温は」ならまだしも「今日の長野県の最高気温は摂氏40度」と流すと、まるで長野県全域が高温とヒトの頭は勝手に勘違いし、国連事務総長の「地球沸騰化」が現実と思い込むようになる。

では、残り33パーセントの間違いというのは、実際の県庁所在地や市を覆う「ヒートアイランド」下では、1・5メートルの高さの39℃は、足元では最高で50～60℃以上で、犬も猫もアスファルトの上を歩けない。

それでも有識者たちは「昔は家の中で熱中症にならなかったし、夜も大丈夫だった」というが、昔も夏は「日射病」があり、校長先生の長い話の間に倒れる女子学生も多かったし、昔の家と今の家は全く構造が違い、昔の一般家屋は風通しがよく、縁の下もあって夏は扇風機だけで涼しくなる構造だった。

が、今は気密性が高いためクーラーが不可欠になっただけで、節約して止めたら深夜に「熱中症」になるため、如何にも地球が沸騰化したと思い込むことになる。

「山火事が多発するのは地球温暖化が原因だ」と考える人がいたら忠告する、「地球温暖化の暑さで森が発火することはない」と。「それでも昔と違い、氷河が溶けるし山火事も多すぎる」と言うが、それはアル・ゴアの『不都合な真実』に騙されているだけで、昔も氷河は溶け、山火事も多く、北極海の氷も無くなったが、今のようにネットも無かった時代なので、誰もいち早く知ることも無く、映像も無く、詳しいことを知る術が本以外に無かっただけだ。

最後にもう一度言うが、「地球」のCO_2の量は大気中の0・03パーセントに過ぎず、アル・ゴアを筆頭とするエコビジネスで大儲けする連中は、2030年を過ぎると「金星」のような灼熱の460℃の世界に向かい、二度と元に戻ることが出来ない「The Point of No Return（回帰不能点）」を超えると脅すが、地球とほぼ同じ大きさの「金星」のCO_2の量は、地球のCO_2の3216倍以上もあり、全大気中の96・5パーセントも占めている。

ロックフェラーの持ち物の「国連」による「ショック・ドクトリン（惨事便乗型資本主義）」の「SDGsカルト」に騙されてはならない……「新型コロナ・パニック」の時と全く同じ図式を辿っているからだ!!

「役立たずの一般人は未来がない！」「安楽死してもかまわない！」クラウス・シュワブが主導する「世界経済フォーラム」の幹部ハラリの発言は、本心以外の何ものでもない!!

「WGS／世界政府サミット（World Government Summit）」というと、オカルト関係者は思わず「世界統一政府」とギクリとしそうだが、世界の各国政府の国際会議ではあっても「G7／主要国首脳会議・先進国首脳会議（Group of Seven）」とは別のサミットである。

2014年に「UAE／アラブ首長国連邦（United Arab Emirates）」で初めて開始され、以後、アラブ首長国連邦のドバイで開催される毎年恒例のイベントで、複雑な地球規模や地域的な問題に対する革新的解決策のプラットフォームとして存在する。

その「WGS／世界政府サミット」と関係を持つのが「WEF／世界経済フォーラム（World Economic Forum）」で、スイスの経済学者でビジネスマン、慈善活動家のクラウス・シュワブが会長として運営、その右腕がノア・ユヴァル・ハラリで、「ヘブライ大学」の歴史学教授のアシュケナジー系ユダヤである。

この「WEF（世界経済フォーラム）」が、2021年に開催予定だった「ダボス会議」

で、世界で初めて主要テーマに「グレート・リセット／Great Reset」を掲げたことから、欧米白人諸国を中心に世界中へ伝播した。

「グレート・リセット」とは、現在の国際社会全体を構成する「金融」「社会経済」など様々なシステムを、全て一斉にリセット（最初からやり直し）することをいう‼

スイスのダボスで毎年開催される「WEF（世界経済フォーラム）」の年次総会では、国際的ビジネスリーダーや政策立案者、グローバリストのエリートが一堂に会し、今の重要な国際問題を共有し討論するためのフォーラムで、ビル・ゲイツも顔を出すことは言うまでもない。

「新型コロナウイルス（COVID－19）」が発生し、2021年に「ファイザー」「モデルナ」「アストロゼネカ」等のゲノム遺伝子操作ワクチンが登場する際、「WEF（世界経済フォーラム）」の会長クラウス・シュワブは、ビル・ゲイツと呼応しながら「全ての人が予防接種を受けなければ、誰も安全にはならない‼」と発言、ビル・ゲイツの似非パンデミックを助長し、〝遅延死ワクチン〟の完全接種を掲げた。

「WEF（世界経済フォーラム）」の幹部でアシュケナジー系ユダヤのノア・ユヴァル・ハラリが、最近口にした言葉が波乱を呼んでいる。

「（世界中の）役立たずの一般人は、（我々）エリートが創造と破壊の力を持つ『WEFアジェンダ２０３０』の素晴らしい新世界に生きる価値はなく、一般人には未来がない!!」
「ＷＥＦ（世界経済フォーラム）」の職員の内部告発にも似た内容があり、「グローバリストエリートの政策が気に入らないなら、フォーラムを支える必要はなく、安楽死をしに行っても一向に構わない」と言われたとされる。

一体、この「ＷＥＦ（世界経済フォーラム）」とはどんな組織で、どんな経緯の団体かを見ると、法的には「非営利団体」で、「非営利財団」として「国連」の「経済社会理事会」のオブザーバーの地位を有し、「スイス連邦政府」の監督下にあり、「最高意志決定機関」は31名で構成されるファンデーション・ボードとある。

その最高意思決定機関31人の中に、世界中を「地球温暖化」で騙したアル・ゴアの名があり、在日の小泉（朴）純一郎首相や「トリクルダウン」で騙した似非経済学者の竹中平蔵も名を連ねている。

「ＷＥＦ（世界経済フォーラム）」の運営資金はどこから出るかも見てみると、売上高50億ドルを超える超グローバル企業１０００社の会員制の寄付で成り立っているという。

もちろん、スイスと言えば、イギリスのロスチャイルドがスイスを中心に構築した「国際金融銀行ピラミッド」の頂点「ＢＩＳ／国際決済銀行（Bank for International Settlements)」が鎮座し、アメリカのロックフェラーが資金を出して構築した「国際連合」

の15の専門機関と他の専用機関の全てがスイスにあり、世界中のセレブや王室が税金を免除される「租税回避地／タックス・ヘイブン（Tax Haven）」や、富裕層が隠し資産を預ける「プライベートバンク」が出揃うスイスは、美しい外見とは全く違う世界最大の悪の巣窟といえる。

「ＷＥＦ（世界経済フォーラム）」の内部告発者は、グローバリストのエリートたちは、自分たちのプロセスに干渉すれば、（お前に）大変な問題が起きるだろうと脅迫、もしネット等で暴露しても、世界中の主流メディアとファクトチェッカーは、全て否定するので徒労に終わるだろうと言ったという。

さらに内部告発者は、「ＷＥＦ（世界経済フォーラム）」がもうすぐ「新しい統一世界宗教」を「グレート・リセット／Great Reset」の最初からやり直しで到来させる準備に入り、「気候科学」「テクノ共産主義」「優生学」の祭壇を崇拝することで全人類を団結させるというが、既にそれはイギリスのロスチャイルドとアメリカのロックフェラーが掲げていたアジェンダである。

クラウス・シュワブは、今の世界の〝変革〟を形作るのが自分の役目で、遺伝子編集を利用して人類を細胞レベルで変えることも重要な使命と断言する。

その大変革に必要なツールが「国連」の「ＳＤＧｓ（持続可能な開発目標）」の撒き餌

であり、同時に世界に強烈なショックを与え、その隙に乗じて一気に奪い尽くす「ショック・ドクトリン（惨事便乗型資本主義）」と連動する。

「パワーブローカー」による「グレート・リセット」の企みが、加速して世界中を呑み込もうとしているのだ。

dystopia 34 一億総白痴化した茹で蛙たちよ！ ワクチンで死んでるんだよ！「火葬待ち」問題化でも高齢者多死社会としかとらえられない!?

今、日本で一体何が起きているかを知って貰うには、今回のケースが分かりやすいからだが、「参考資料」の情報ソースの出所は明記しているので法的に問題がないと判断する。

――参考資料：「読売新聞オンライン8／21（月）15：00配信」――

高齢化に伴う死者数の増加で、遺体を長期間火葬できない「火葬待ち」が問題になっている。業界団体が今年6月に発表した初の全国調査では、6～8日間の火葬待ちが全国で生じている実態が浮き彫りとなった。火葬を待つ間に、遺族には心理的・金銭的な負担がのしかかっている。

今年1月に父親を亡くした大阪府守口市の女性（50）は、「葬儀場から遺体安置に1日2万円ほどかかると言われ、あきらめた」と語る。火葬までの5日間、女性はひつぎを自宅に置かざるを得なかったという。「冬場だったが遺体が傷んだため、化粧で隠して送り出した。できればきれいなまま送ってあげたかった」と振り返る。

ここ数年、人口が集中する都市部を中心に火葬待ちが起きている。厚生労働省の人口動態統計によると、2022年の死者数は過去最多の156万8961人で、前年から12万9105人増えた。12年の死者数は125万6359人で、この10年で死者数は1・25倍と「多死社会」を迎えていることが背景にある。

死者数の増加に伴う問題を調べるため、公益社団法人「全日本墓園協会」（東京）は厚労省の補助を得て22年、全国の火葬場と葬儀場を対象に初めてのアンケート調査を実施した。

20年度中に、施設内に遺体を安置したと回答した177施設に、その理由（複数回答）を尋ねたところ、最も多かったのは「火葬の順番が回ってくるまでの待機」で44・1％だった。その火葬待ちの最大日数を尋ねたところ、「6～8日」が最も多く31・4パーセント。次いで「2日超、3日まで」が16パーセント、「3日超、4日まで」が13・パーセントだった。

同協会は「調査対象とした20年度はコロナ禍と重なるが、葬儀件数は前年度から増えておらず、影響はないとみている」と分析している。

人口377万人と国内最大の基礎自治体である横浜市によると、市営火葬場の火葬待ち日数は、20年度は平均4～5日だったが、22年度は5～6日に延びた。このため同市は約221億円をかけ、新しい火葬場を建設している。

ただ、横浜市のように火葬場を新設するには、予定地周辺の住民から理解を得なければならず、簡単ではない。また、40年代には国内の死者数はピークアウトするため、新設を検討する自治体は少ない。

調査を行った全日本墓園協会の横田睦・主管研究員は、「火葬場の増設は容易でない。縁起が悪いと避けられてきた友引の日に火葬を行ったり、空いている時に先に火葬を済ませたりするなど、社会全体で弔い方を考え直す必要がある」と指摘している。

――以上、「厚生労働省」の人口動態統計からの記事。

2022年の死者数は2021年より12万9105人増、率にして8・9パーセント増、統計を取り始めて最も多くなり、平成元年と比べおよそ2倍、この20年でも1・5倍に増え、2040年には167万人とピークを迎えるというが、「遅延死ワクチン」の接種者は1億人を超えるため、2024年の死者数は地獄のような数字になるだろう。

それでも長寿社会の高齢者が老衰で死に始めただけの「多死社会突入」としか考えず、未だに〝茹で蛙〟の一億総白痴たちは、「遅延死ワクチン」も信じることなく、オミクロン株ワクチン接種にまっしぐらのレミングの群である‼

自作自演のやりたい放題の戦争誘導フェイク国家がアメリカの今を支えるのは、HAARP体系に統合された巨大プラズマ兵器か⁉

アメリカは、建国以来ずっと自作自演のFAKE国家だった。

いわゆる自分で火をつけて消化する「マッチポンプ国家」で、必ず相手を悪者に仕立てて正義のラッパを吹き鳴らし、悪に勝利して歴史にアメリカの名を燦然と輝かすのである。

1861年の「南北戦争」の原因となる「黒人奴隷解放宣言」も、「中小企業」しかなかった北部が、南部の「巨大綿花経済」を破壊する目的でリンカーン大統領が放った〝戦略〟で、奴隷解放に舵を切るアメリカ政府に反発した南部が、生き残るために戦争を起こすことになる。

その数年前から北部は内戦勃発に膨大な戦争資金が必要と踏み、オランダの情報をもとに「金」「銀」が溢れる日本に目を付け、第13代アメリカ大統領ミラード・フィルモアは「ペリー艦隊」を送り込み、1858年、圧倒的武力差を見せつけたペリーは徳川幕府と「日米修好通商条約」を結び、仕掛けた不平等なレート差を悪用して日本から膨大な金を合法的に吸い上げていった。

1861年、北軍の「サムター要塞」と、川を挟んで対峙していたのが南軍の「ムールトリー要塞」で、両岸で大砲戦を長期につづけるが、リンカーンの失策で北軍が降伏した際、南軍の許しを得て礼砲を撃った後、南軍は好敵手だった北軍の星条旗を北に持ち帰る許可を与えた。

「サムター要塞」の星条旗を持ち帰ったアンダーソン大佐は、突然、リンカーンが自分たちが命を懸けて闘った証を取り上げると、南軍と闘う戦意高揚の旗にしようと提案したことに怒りを覚えたとされる。

その後、南部を叩き潰したアメリカは、植民地戦争に乗り遅れた付けを取り返すため、スペインが支配する太平洋の植民地を強奪するのが手っ取り早いと判断、1898年、スペインの植民地だったキューバを表敬中、アメリカの砲塔装甲艦「メイン」が、白人士官たち上級将校が上陸後、突然、原因不明の大爆発を起こして沈没、数人の日本人コックを含む266人の乗員が犠牲となった。

それをスペインの仕業にしたアメリカは「米西戦争」を起こし、キューバとアメリカの距離を最大限に利用して勝利、カリブ海から太平洋のフィリピンを含む「スペイン旧植民地」の全管理権を合法的に強奪した。

1941年12月、アメリカは旧日本軍の不意打ちの「真珠湾攻撃」を受けるが、フランクリン・ルーズベルト大統領は、コーデル・ハル国務長官作成の「ハル・ノート」を日本に渡す際、「我々は日本をして最初の一発を撃たせるのだ!!」と語った証言があり、真珠湾攻撃前夜の夕食の席にいたルーズベルトの娘婿も同様の話をルーズベルトの口から聞いたと証言している。

1964年8月、北ベトナム沖のトンキン湾で、3隻の北ベトナム軍の哨戒艇がアメリカ海軍の駆逐艦「マドックス」に2発の魚雷を発射したため、リンドン・B・ジョンソン大統領が、「ベトナム戦争」に本格的に参入、北爆を開始したが、アメリカ軍がサイゴンから逃げ出して敗戦、その後、「トンキン湾事件」がアメリカの捏造と暴露された。

2001年、アメリカはアルカイダから「9・11／アメリカ同時多発テロ」を受け、その復讐戦にアメリカは有志連合と一緒に大量破壊兵器を保有するイラクに攻め込んで「イラク戦争」を起こし、フセイン大統領を合法的に処刑させてイラクの石油利権を奪い尽くしたが、「9・11」は自作自演で、イラクには大量破壊兵器は無くＣＩＡのＦＡＫＥだった。

２０２２年2月24日、ロシア軍の「ウクライナ侵攻」も、アメリカがプーチン大統領の警告を無視してＮＡＴＯの東征を推し進め、ウクライナにアメリカ国内では禁止されている軍の「バイオ兵器研究所」を、ペンタゴンの「Black Budget（闇予算）」で何カ所も建設、わざとロシアをウクライナに呼び込もうと画策していた。

が、プーチン大統領がアメリカの裏を掻き、予定より早い北京五輪とパラリンピックの隙間を狙って侵攻したため、アメリカの思惑が大幅に狂い、今のような長期戦となった。

２０２３年8月8日、ハワイ諸島のマウイ島で発生した山火事は、行方不明者１０００人以上を出す大災害となったが、ハリケーンが熱帯性低気圧に変わったとはいえ、強風下でのこの山火事は、時間が経過するほど尋常ではないものだったことが分かって来た。

２０２３年9月25日に、マウイ島全域で、ＡＩが島全体を統治する「ハワイ・デジタル・サマー」を決行する予定があり、オール電化のハイテク都市を築く計画が進行中だった矢先で、２０２２年から「スマートシティ構想」を展開、一刻も早く統合的に建設し直すアイデアが次々と展開していた。

２０２２年には、マウイ島で開催された「コンベンション（大会）」では、マウイ島全域を〝オール電化〟にする計画が紹介され、15分間の「スマートシティ体験」も行っていた。

そのためには、今回、最も被害が甚大だったラハイナに、高層マンションなど複合施設とビジネスビルを建設するためのコンタクトが行われたが、ラハイナはハワイ王朝の歴史的建造物が多く、ハワイ先住民の反対意見も多く未来的構想は頭打ちの状況だった。

ところが、今やそのエリアは綺麗さっぱり消えたため、人道的見地を名目に、未来志向によって再開発できる状況が出揃ったのである!!

実は甚大な被害を出したラハイナ周辺には、12マイルの「メディアフリーゾーン」があり、そこで今回の不審火が起き、タイミングとして強風の中で発生したことになる。

マウイ警察は何をしていたのかというと、署長ジョン・ペレティエは、２０１７年10月1日の「ラスベガス大量射撃事件」の際の指揮官で、あの日に限って機敏な避難誘導をしなかった。

さらに、マウイ島は世界最大の「緊急警報サイレンシステム」があったが、警報アラームがヒューマンエラーで全く作動しなかった（作動させなかった）し、非難する先の学校は閉鎖、なぜか水道システムが完全に停止していたため、消化することも出来なかった。

ところが、ビル・ゲイツやジェフ・ベゾスら億万長者の家だけは無傷だった。

マウイ島の住宅価格の中央値は120万ドル（1億7556万）もし、一般的な給与所得者にとって一戸建て住宅は手の届かず、分譲タイプの集合住宅「コンドミニアム」でさえ85万ドル（1億2423万）もするため、多くの先住民と一般人がマウイに住むのはこれで不可能となった。

何も残らなくなったマウイ島の住民（特に先住民）は、自分たちの土地が白人の巨大ヘッジファンドや富裕層の手に渡ることを懸念、特にアメリカの末期的資本主義、「ショック・ドクトリン（惨事便乗型資本主義）」が合法的にマウイ島に乗り込んで来ることを恐れている。

今のアメリカの末期的資本主義は、人々が巨大な事故や参事や戦争で、大きなショック状態に陥り、茫然自失のまま抵抗力を喪っている時、それを好機と捉えて巧妙に利用する政策手法を常道化し、民主党のバイデン政権も「惨事便乗型資本主義」を後押しする傾向にある。

案の定、マウイ島がこんな有様の時、バイデン大統領は偶然にバカンス中で、そのバカンス先で質問する記者たちに、何度もバイデンは「ノーコメント」を連発している。

一方、生存者たちは口を揃えて「これは自然災害ではなく、直接的なエネルギー攻撃だった!!」と告げている。今、巨大プラズマ兵器システムは「ＨＡＡＲＰ」の体系に統合され、「ＨＡＡＲＰ」の裏に隠されている。

そのプラズマ兵器がアメリカにあるので、「世界経済フォーラム（ＷＥＦ）」のクラウス・シュワブ会長やノア・ユヴァル・ハラリらは、「虎の威を借る狐」のように傲慢な態度で、白人のエリート層を〝神〟の立場に置くようになった。

福島原発からの「処理水」の海洋放出！ 問題のトリチウム量は韓国の6分の1、中国の10分の1だった

２０２３年8月24日、「東京電力福島第1原発」の「ALPS/多核種除去設備（Advanced Liquid Processing System）」からの「処理水」の海洋放出が開始された。

今回使われた「ＡＬＰＳ」は、東芝と日立が開発した浄化設備で、タンクに保管された原子炉内の溶け落ちた核燃料を冷却した後の「高濃度汚染水」を、「トリチウム／Tritium」以外の放射性物質を安全基準まで浄化できる高性能のろ過装置だ。

「福一原発」の第3号炉は「ＭＯＸ燃料」だったため、水素爆発ではなく核爆発しており、重いプルトニウムが横浜の高層マンションのベランダまで飛散、当時、横須賀に停泊中だった第七艦隊の主力空母「ジョージ・ワシントン」は、高度な放射能汚染を恐れ急いで出港している。

「MOX燃料」とは、原子炉の使用済み核燃料中に1パーセントは含まれる「プルトニウム239」を取り出し、処理した後で「二酸化プルトニウム（PuO2）」「二酸化ウラン（UO2）」を混ぜることで、「プルトニウム239」の濃度を高めた核燃料をいう。

「プルトニウム239」の半減期は2万4000年以上なので、完全に消える4万8000年まで日本は「ALPS」で処理し続けねばならず、自民党はその頃まで存在するつもりでいるのか？

それは別として、猛毒の「プルトニウム239」も除去できる「ALPS」の性能は国際基準を超えるレベルで、「IAEA（国際原子力機関）」は、日本の「ALPS処理水」の海洋放出について調査した結果、2023年7月4日、国際安全基準に合致しているとして「包括報告書」が公表された。

ところで、話題の「トリチウム」とは一体何かというと、超微弱の放射線を出す「水」というのが正体で、三重水素と酸素と結びつき、自然界の水、水道水、ヒトの体内にも存在し、微弱の「βrays／ベータ線」を出すが、エネルギーが微弱なため1枚のコピー紙で遮断できる。

「トリチウム」について最も重要なことは、飲水で体内に入っても、蓄積したり、濃縮されることもなく、通常の新陳代謝で体外に排出されることだ。

しかし、反日なら何でも飛びつく韓国野党は「やめろやめろ!!」と捲し立て、中国共産党は日本産水産物を全面禁輸にするどころか、「塩」も汚染されると民衆が大騒ぎし、店頭から「塩」が消える社会現象が起きる中、怒った中国人が福島に限らず日本中の飲食店にクレーム電話を掛け、日本人の学生寮に卵が投げつけられた。

今回の「福一原発」の想定される年間の「トリチウム」放出量（ベクレル）は22兆（テラ）ベクレルで、韓国の「月城（ウォルソン）原発」が垂れ流すトリチウムの１３６兆ベクレルの１／６に過ぎず、２０２２年の韓国で27基ある原発から出たトリチウムの年間２１４兆ベクレルの１／10である。

一方、中国の「福清（フッチャン）原発」が52兆ベクレルで日本の処理水の２・５倍、２０１８年の中国の原発数46基から排出されたトリチウムは４２５兆ベクレルは何と日本の処理水の20倍に達し、それで日本の処置をとやかくいえる頭の構造が異常だが、イギリスの「セラフィールド再処理施設」などは１６２４兆ベクレル、フランスの「ラ・アーグ再処理施設」に至っては１京３７７８兆ベクレルと、諸外国と比較しても日本は全くの安全圏内に思える。

ところが、国の排出基準数値の40分の1程度にするため、浄化処理後の水を海水で500〜600倍に希釈している謎について、下手をすると「醤油をそのまま飲むと体に毒なので、薄めて全部飲めば安心です」というのと同じ理屈になり兼ねず、関所を通る時だけの小手先の処置にしか見えず、結局、海に流し込む総量は同じという理屈になる。

それでも海水で薄める理由は、浄化処理後の濃縮された「トリチウム」だからで、過去の「福一原発」が流していた「トリチウム」のベクレルに合わせた量まで下げることだろう。

実際、「福一原発」の汚染水排出は、2018年時点で9基の原発を稼働中の「トリチウム排出量」は110テラベクレルで、2011年までは54基の原発が稼働し、原発事故で大部分の原発が稼働を中断（中断しても冷却水は稼働する）していた頃の数値にするのは、僅かとはいえ作為的かもしれない。

「福一原発」の「ディストピア（dystopia）」だが、九州から東海一帯を破壊する「南海トラフ地震」が発生した場合、津波の直撃弾を受けるのが、四国電力の「伊方原発」（愛媛県伊方町）と、中部電力の「浜岡原発」（静岡県御前崎市）で、マグニチュード9クラスの震度7となれば、津波の前に、隔壁と繋がる数百の重要なパイプが弾き飛ぶか、折れるか、外れて送電線が切断、電力が止まって再び「炉心溶融」を起こしてしまう可能性だ。

事実、「福一原発」がメルトダウンしたのは、津波の海水が地下の予備電力用発電機を沈めたからではなく、強い地震波の第一撃で、「福一原発」が電力喪失していたことが判明、この事実が漏れたら日本中の原発の根本的問題で大変な事態になるため、日本政府は全てを「津波」のせいにし、震度7級（震度6を指摘する学者もいる）の地震で「福一原発」と同じになる事態の否定に躍起である。

なぜなら、ほぼ全ての日本の原発が、「活断層」の横か真上に建てられ、海岸沿いに置かれているため、震度7級（マグニチュード9以上）の大地震が襲うと、再び福島の悪夢が繰り返すことは間違いないからである!!

dystopia ㊲

福島原発から放たれてしまったストロンチウム、プルトニウム、ウランは地下水へ入って、これからが被害の本番を迎えることが分かっている！

２０１１年3月11日、「東日本大震災」が発生、マグニチュード9レベルの最大震度7を記録、同時に「福一原発」に非常用電気を送る6系統の送電線が激しい揺れで、４系統の電線が鉄塔に触れてショート、2系統のスイッチが凄まじい激震で破壊した。

同時に、5号炉と6号炉に電気を送る「敷地内送電線鉄塔」が倒壊、さらに非常用電源供給を担う「新福島変電所」のケーブルも切断、変圧器も破壊して予備電力網が全て壊滅、その後に津波が押し寄せている。

2011年5月18日、菅（かん）内閣の海江田万里経済産業相は、外国特派員協会で「福一原発事故」の原因は津波による電源喪失で、地震そのものではないとの見方を強調、今の自民党もその結論を踏襲している。

世界中に原発を推進するアメリカの「AEC／原子力委員会（United Statds Atomic Energy Commission）」の戦略方針に急ブレーキを掛けることになるからだろうが、日本中を囲むように配置され、ほとんどが「活断層」の上や横にある「原発」を考えれば、アメリカの太鼓持ちをしているような事態ではなかったはずである。

2023年時点で、日本人の癌発症比が2人に1人という膨大数にある理由は、「広島・長崎原爆」による西日本側への放射能微粒子の拡散と、「福一原発事故（水素爆発＋核爆発）」による東日本側＋日本全域への放射能微粒子拡散が原因である!!

そのため、福島産の海産物&野菜の放射能残留量のテストは厳密に行われているわけだが、敢えて、そこにも日本政府の〝事実だが嘘・嘘だが事実〟の仕掛けを公開せねばならない。

ゲルマニウム半導体検出器を用いた「γ線スペクトロメトリー」による核種分析法で、放射性ヨウ素（I－131）、放射性セシウム（Cs－134、Cs－137）などの放射性核種の測定、全核種検査ではγ線を放出する核種が対象（135核種）、但し、β線のみを放出するストロンチウム90・89は対象外で、「放射性ストロンチウム分析法」が別個に行われる。

このように日本の技術は素晴らしいが、安全性を担保する指数が問題で、それと合法的に水で薄める「処理水」の海洋放出が実は同じ線上にある。

「厚生労働省医薬食品局食品安全部」の基準値から、福島県、宮城県、茨城県などの野菜や魚の残留放射能はクリアのお墨付きをもらっても、ザックリ言えば「0」ではない……仮に「1」を超えた「1・1」は駄目だが、「0・99」なら安全とされる点が極めて人為的思考と言わざるを得ない。

もっと分かり易く言えば、ニンジン「0・89」、ジャガイモ「0・88」、玉ねぎ「0・90」、肉「0・99」で全てが安全基準をクリアしたので、「肉じゃが」を作ると、全体で残留放射能量は「3・66」になる。

確かに食材1個ずつは安全基準値内でも、料理として複合的に使ったら、一気に安全値を超えてしまうのである。

問題はそれだけで収まらない、日本の67パーセント（約3分の2）が森林で、北海道を除く森林割合が多い県の1位は岩手県の117万ヘクタール、2位は長野県の107万ヘクタールで、「福一原発」がある福島県は97万2000ヘクタールもある。

「福一原発事故」で放射能微粒子が風に乗って飛び散った地域は、平地よりも森林地帯が多くを占めるのは当然で、「福一原発」がコンクリートと鉄筋で全面覆われるまでの間、日本中の樹木は放射性物質で被い尽くされ、雨が降る度に地面へ流れ落ちて蓄積し、それが大地に染み込んで最終的に地下水となり、ミネラルウォーターの原料となり、川に流れ込んで水道水となる……。

その過程が約10～14年かかるので、2023年の日本中の河川には「福一原発」のMOXを含む「ヨウ素131」、「セシウム134」「セシウム137」「ストロンチウム90」「プルトニウム239」「ウラン235」「ウラン238」、その他として「アメリシウム」「ネプツニウム」が地下水を介して河川に溢れ出ていることになる。

ヨウ素131の半減期：8日（全体で16日）消滅

セシウム134の半減期：2・1年（全体は4・2年）消滅

セシウム１３７の半減期：30年（全体で60年）残存
ストロンチウム90の半減期：28・８年（全体で57・６年）残存
プルトニウム２３９の半減期：２・４万年（全体で４・４万年）現実を超える
ウラン２３５の半減期：７億年（全体で14億年）現実を超える
ウラン２３８の半減期：45億年（全体で90億年）現実を超える

その為、「ヨウ素１３１」、「セシウム１３４」は既に消滅し、東日本側の「伏流水」に主に混じるのは「セシウム１３７」「ストロンチウム90」が主で、「ストロンチウム90」に関しては、体内で骨に定着すれば１００パーセント周囲が癌化する。

比較的粒子が重い「プルトニウム２３９」「ウラン２３５」「ウラン２３８」のＭＯＸ燃料が降った地域は、横浜まで黄色のネバついた「プルトニウム２３９」が飛散したことが判明したため、当時の風向きから「宮城県」「福島県」「栃木県」「茨城県」「千葉県」「東京都」「埼玉県」「神奈川県」の地下水や河川がこれからは危険となる。

２００６年、ロンドンでロシアの元情報将校アレクサンドル・リトビネンコが「プルトニウム」を飲んで暗殺されたことから「リトビネンコ急性放射線症候群（リコビネンコ症候群）」と命名されているが、最悪、それと同じ死に方が、２０２３年から以降、東京や横浜でも起きる可能性がある。

「3・11東日本大震災」で、北海道を含む日本全域に拡散した「放射性微粒子」による放射能汚染は、既に日本人が考えている以上の「ディストピア（dystopia）」と化しているのである。

活断層の上の原発は、日本の裏切りをゆるさぬため‼ 原発メルトダウンシステムが日本中に構築されている（エドワード・スノーデン）‼

「南海トラフ地震」のマグニチュード9、震度7クラスの大地震で原発内部の「圧力隔壁」は無事でも、隔壁と繋がる無数のパイプが外れ落ち、折れ曲がり、切断して電源喪失、あるいはパイプから流れ込む「冷却水」がSTOPして「メルトダウン／炉心溶融」に陥る可能性が危惧されている。

「南海トラフ」は、「フィリピン海プレート」の北端に位置する深い溝（トラフ）で、四国南沖から東海沖まで走る「ユーラシアプレート」への「沈み込み帯」である。

「南海トラフ」は、西から「南海」「東南海」「東海」の三大地震帯に分かれ、その正面に位置するのが、佐田岬半島に置かれた「四国電力」の「伊方原発」（愛媛県）で、細い半島の北側にあるため、巨大津波の直撃は避けられるが、津波の回り込みは避けられない。

それより最大の問題は、わざわざ日本最大の断層「中央構造線」のほぼ真上に建設された点で、何かの悪い冗談としか思えない狂気の沙汰である。

おそらく、アメリカによる、日本が裏切った時の原発のメルトダウンシステムに一役買ったとしか思えず、「横田基地」で「ＮＳＡ」の職員として勤務していたエドワード・スノーデンが暴露したように、アメリカが日本中の「原発」を一気にメルトダウンさせるシステムを構築していたことと関係する。

そこで「伊方原発」が「南海トラフ地震」で被災した場合、震度7で圧力隔壁に繋がるパイプが外れ、寸断されてメルトダウンを起こした場合、「放射能汚染」が大量に海に流れ込むため、隣接する「瀬戸内海」が〝放射能汚染水の溜池〟と化すことになる!!

「伊方原発」は、福島第一原発爆発から以降、1号炉、2号炉は廃炉処分の最中で、3号炉のみが稼動している。

「伊方原発」がメルトダウンしたら、空気汚染は沖縄から北海道に至るまで渦を巻くように拡散することは、ヨーロッパの気象衛星による「福一原発」の風向きで判明したが、さらに問題は瀬戸内海の海水汚染で、瀬戸内各県(九州地方：岡山県・福岡県／四国地方：愛媛県・香川県・徳島県／中国地方：山口県・広島県・岡山県／近畿地方：兵庫県大阪府・和歌山県）の海はどう放射能汚染されるのだろうか？

一度、放射能汚染が広がると、瀬戸内海の海水が太平洋と入れ替わるのに1～2年かかるとされ、それで終わりではなく、倒壊した「伊方原発」から延々と高濃度の「放射能汚染水」が垂れ流され続けるのである。

実は広島県と岡山県の境を分岐点に、瀬戸内海の海流は西側と東側に分かれて別個に循環しており、「伊方原発」から広島県沖の流れは、紀伊水道からの流れと相容れないため、互いに境を分岐点に循環する結果、岡山県から東側は西側より安全水域（放射能汚染水が0の意味ではない）となり、「伊方原発」のメルトダウンによる瀬戸内海の放射能汚染は、広島県沖で永遠と濃度を高めながら循環する地獄と化す。

では、「南海トラフ」に向く中部電力の「浜岡原子力発電所」（静岡県御前崎市）はどうかというと、1・2号炉は廃炉、3・4・5炉は定期検査と運転停止、6号炉は計画中の為、原発自体が稼動していない。

ところが、原子炉が運転停止中の意味は、タービンを回して発電していないだけで、廃炉でない限り「核燃料棒」を「冷却水」で冷やす工程は続行中で、全ての電源が喪失したり、冷却水の配管が破損し、予備電源もシャットダウンしたら、「福島第一原発」と同様の事態に陥る。

世界一危険な「浜岡原子力発電所」と言われる所以は、「原発」の原子炉を容易に破壊する「マグニチュード8・0~8・4」が予測される「東海大地震」が「南海トラフ地震」以外にも、別に想定されているからである!!

恐しいことに、「東海大地震」の想定震源域のド真ん中に「浜岡原子力発電所」が建設され、おまけにプレート境界の真上にあるのが「浜岡原発」なのだ!!

空中に飛散する放射性物質は、渦を巻きながら日本中を隈なく放射能汚染し、海水も高密度の「放射能汚染水」が流れ出し、静岡県沖から房総沖を流れて太平洋へ拡散する一方、黒潮の「分岐流」が静岡県から逆方向の西側の愛知県、三重県、和歌山県の海岸を次々と汚染していく。

これに「日本海大地震」も加味した場合はもちろんだが、「原発」が置かれている海岸は「九州地方」、「東北地方」、「北海道」と思えば、天皇徳仁(なるひと)陛下が、「ユダヤの三種の神器」、「契約の聖櫃アーク」、「神殿祭具」をレビ族に担がせ、大和民族を率いて脱出する「出JAPAN」後の日本列島の有様は言語に絶するものとなる……。

dystopia 39
最後は悶絶死⁉　死へのカウントダウン‼「遅延死ワクチン」接種で若者にブレインフォグ急増中！だが、本番はまさにこれからである！

アメリカのロックフェラーの手先のビル・ゲイツに騙され、遺伝子操作で1から組み立てた「mRNA溶液」を接種した日本人の数は1億人を超えた。2021年3月から医療従事者が接種を開始、5月から高齢者が、6月から一般人が接種を始め、彼ら全員の死刑宣告が現実化する問題の3年目に突入した2023年、その前に既に多くの接種者がバタバタ死に始め、2022年から都会の火葬場が一杯で、遺体の冷凍保管で大変な有様に陥っている。

既に2022年には、前年の増加数の2倍で156万8961人が死亡したことを、「厚生労働省：人口動態統計」が発表、2023年はそれを既に超え、ウクライナの戦死者数を15万人以上も超える勢いで伸びている。

それは明らかに、接種後3年で死ぬよう遺伝子操作された「遅延死ワクチン」の仕業だが、日本政府は「オミクロン株」の発生で更なる接種を訴え、今や「オミクロンBJ．1

株とオミクロンBM．1．1．1株の組み替え体」まで登場、一刻も早くXBB株に対応したオミクロン・ワクチン接種を勧めている。

ところが、どう考えてもおかしいのは、接種すればするほど新型株に感染する「ブレイクスルー感染」が起きることで、明らかにゲノムワクチンを打てば打つほど「免疫」が消えることが原因だが、接種者はさらに強烈な変異株の脅威にさらされていると思い込み、更なる接種へ走ることになる。

そもそも論だが、オミクロンBJ．1株とオミクロンBM．1．1．1株の組み替え体にしても、接種者らの体内でオミクロン株ウイルスが、ワクチンウイルスと組み合わさって変異、それが呼吸の度に肺から次々と出てくる「ワクチン・ウイルス」が変異株の正体で、接種者の体内で組代わりし、それが他の接種者に感染、または組代わり増殖して別の接種者に次々と感染するのである。

が、本来の免疫機能がある非接種者には、風邪にもならない程度の微弱性ウイルスに過ぎないが、周囲の全てが接種者の場合、吐き出す「エクソソーム」に含まれる直径50－150ｎｍ（ナノメートル：10億分の1メートル）の顆粒状の物質で、非接種者は皮膚炎になったり、頭痛がしたり、血圧が上がる「ジェディング」を起こすことになる。

それは、新築の家の壁材が揮発して気分が悪くなる「シックハウス症候群」と似ていて、接種者が吐きだす細胞膜由来の脂質やタンパク質内部の核酸に含まれる「マイクロRNA」「メッセンジャーRNA」「DNA」の破片が撒き散らされ、それが「エアロゾル」となって非接種者の免疫系を刺激する現象である。

同時にそれは、非接種者の「免疫機能」が正常に働いている証拠でもあるが、周囲が接種者ばかりの環境は苦痛以外の何ものでもなく最悪の環境と言えるだろう。

一方の接種者は、死ぬまで「ブレイクスルー」の輪廻は続き、突然死をもって終わるが、死ぬまでの期間、「ゲノムワクチン」の効果を持続させる目的で「ブースター接種」という追加接種を繰り返していく運命にある。

接種後3年目に入ると、若者の中で「ブレインフォグ」という現象が急速に増えることが確認され、要は頭が霞んだようにボーッとして物事に集中できず、忘れっぽくなり、何をするにも億劫になり、やがて「うつ状態」に陥っていく症状をいう。

不安感が支配し始め、不眠症に陥り、段々と不登校になり、出社したくなくなり、仕事を辞めたりするなど、社会生活に支障をきたすようになる。

医師は、それを「コロナ後遺症」と断じるが、実は新型コロナ（COVID－19）で死んだ人間は、高齢者でも持病や基礎疾患がある老人がほとんどで、それまでにもインフルエンザや風邪による肺炎で死ぬケースは昔から多かった。

この「コロナ後遺症」の正体は、新型コロナ（COVID－19）の感染ではなく、「ワクチン感染症」が原因で、「mRNA溶液」によるプリオン蛋白質が、「脳」を徐々に溶かし始める結果、「ブレインフォグ」が起き始めるのである。

設計段階から遺伝子操作で組み立てる「ゲノム溶液」は、そのままではRNAが剝き出しでスグに崩れてしまうため、「プリオン蛋白質」の鞘で被う必要があり、ゲノムの場合は人工的に「プリオン蛋白質」で覆っている。

この「プリオン蛋白質（PrP）」「正常プリオン蛋白質（PrPC）」は、人工的に創った場合のみ突然豹変して「異常型プリオン蛋白質（PrPSc）」に変わるため、「狂牛病／BSE」と同じ脳や髄が溶ける「CJDクロイツフェルト・ヤコブ病」を発症する。

それを、コロナ後遺症として誤魔化され、その内に高熱が出はじめ、性格が変わり、激しい痙攣を起こして最後は悶絶死する。

問題は、勝手に増殖する「異常型プリオン蛋白質（PrPSc）」の鞘で、「CJDクロイツフェルト・ヤコブ病」を発症しても、血液検査では引っ掛からないため、輸血などの血液を介して、手術を通して「CJDクロイツフェルト・ヤコブ病」の感染が非接種者にも拡大していく。

それまでは、高齢者が主だったが、２０２３年頃から若者へ本格的にシフトし、お盆以降はさらに進み、10代の世代の「ブレインフォグ」が激増している。

激しい痙攣を起こす段階で初めて「ＣＪＤクロイツフェルト・ヤコブ病」を疑われるが、ほとんどは死因を特定できず荼毘(だび)に付されるため、医師もまさか「狂牛病」とは気付かない。

若者の中には激しい「うつ状態」で不安が増大することで、自殺する者も増え始めている。

Part 5

その手に乗るな！　パワーブローカーは、米国を日本から撤退させ、中国に戦端を開かせ、日本も中国も台湾も、全部略奪を目論んでいるぞ‼

dystopia

人工降雨ロケット濫用で大洪水被害か⁉ 若者の失業率46・5％内部崩壊の中国は台湾侵攻しか手がない‼

今の中国は、共産党一党支配はもちろん、習近平の独裁体制が完成、アメリカに追いつき追い越した後、世界の皇帝になろうとしている。

しかし、経済にしても軍事兵器にしても全て西側陣営から盗み取った技術ばかりで、中国が生み出した基礎技術は皆無と言ってよく、最先端技術を盗めなくなれば瞬く間に中国は時代遅れになっていく。

そうなる前に、中国を世界第2位の経済大国に押し上げた原動力の「民間企業」とCEOの力を恐れる習近平は、共産党政権の絶対維持を最優先に民間企業への規制を強化、その分だけ経済力を鈍化させ、コロナ下で上海市を筆頭に都市部を全て「ロックダウン（都市封鎖）」し、中国経済を疲弊させていった。

それと呼応するように、2023年7～8月にかけ、中国北部を未曽有の大豪雨が襲い、同月に襲った2つの台風被害を含めば、経済損失は57億4000万ドル（約8000億円）に達した。台風5号は7月28日に福建省に上陸、北京、天津、河北地域で連日の豪雨災害をもたらし、過去600年間にわたって水没した記録がない「故宮紫禁城」が冠水、北京の道路は濁流と化し沿道の店舗が水没した。

2023年の北京を襲った大水害は、治水事業を怠った習近平の失策で、皇帝の紋章の「竜」は治水の象徴で、風水師たちは習近平が天に見放されたと叫び始めた。

被害は北京市だけで4・4万人が被災、12万人以上が避難、台風5号は福建省で被災者266万人以上、直接経済損失147・5億元以上の大被害を出し、中国全土で被災者は300万人を超え、この大災害が習近平の治水事業の失敗だけでなく、勝手な気象操作のせいではないかと囁かれ始めた。

中国の「人工降雨ロケット」の濫用の疑いである!!

人工降雨技術は、雲に雨粒の種の「ヨウ化銀」をロケットで打ち込み、小さな水の粒を集めて大きな雨粒に成長させ、一気に雨を降らせるもので、1960年代にアメリカの「ゼネラル・エレクトリック社」の化学部門が発明した、雲の種蒔きの意味の「クラウドシーディング／Cloud Seeding」である。

この技術を習近平政権が乱用した結果、6月からの北京市内の「ヒートアイランド／Heat Island」による記録的な猛暑に、人工降雨が実施された結果と思われている……事実、

２００８年の「北京五輪」の開会式も、大雨を避けるため、遠方各地で「ヨウ化銀ロケット」が次々と打ち上げられていた。

習近平に振り回され始めた中国だが、泣きっ面に蜂が襲い掛かって来た……不動産バブルの崩壊が中国経済崩壊へ直結し始めたのである!!

元々、健全な運用をしない共産党支配の中国の銀行は、国家の「粉飾決算」を守る壁となり、そのツケが２０２３年に噴火し始め、不動産バブルが崩壊寸前にある中、地方財政が凄まじい規模の借金で首が回らず、「一帯一路」の経済効果も鈍化する中、リトアニアに続きバルト３国は全て脱退、参加国は14カ国に減り、泥舟からイタリアも脱退を表明した。

中国最大の不動産開発会社「碧桂園（ヘキケイエン）」も、米ドル建て社債２本分の金利２２５０万ドル（約33億円）を支払ったと報じられたが、同日まで利払いができなければ「デフォルト（債務不履行）」寸前だった。

１週間の間に２回もぎりぎり回避したとはいえ、２０２３年度末には更なる支払いが口を開け、創業家が私財投入までして支えたが、２０２４年は維持が難しいだろう。

アメリカの予測では、24年に、中国の不動産バブルが完全崩壊、結果、中国経済が一気に危険水域に達するとし、そうなると習近平は国民の不満のはけ口を外に向かわせようと、

「台湾侵攻」と「尖閣諸島侵攻」に乗り出す可能性をアメリカが示唆し始めた。

さらに別の問題が噴出、中国の「国家統計局」が16～24歳の中国の若者層の失業率を２０２３年６月時点で21・３パーセントと過去最高に達したと報じ、「中国通信社」が民間調査データを引用して、卒業後半年以内に出身地に戻った学生の割合が２０２２年に約47パーセントに達したと報じた。

が、「北京大学」の張丹丹副教授は、オンラインで、家で寝そべり親に頼る非学生の１６００万人が統計に含まれていないと指摘、その数を含めると失業率は46・５パーセントに達したと暴露、記事はスグに削除され、以後、若者層の失業率は公開が禁じられた!!

景気の著しい停滞と低迷、さらに不動産バブル崩壊の不安要因を抱き始めた国民の目を、習近平と中国共産党は外に向けさせようと必死で、そんな時ちょうど日本の「福一原発」の処理水放出が行われたのを幸いに飛びついた。

日本産の水産物の輸入停止の対抗措置を決定、中国から日本への苦情や嫌がらせ電話が次々と殺到、「東京電力」だけで６０００件超に上り、中国にある「日本人学校」に石や卵が投げ込まれた。

さらに、ＣＧで創られた意味不明の処理水（中国は汚染水という）拡大シミュレーションもネットに流れ、２週間で中国に到達すると脅した結果、塩が汚染されるとスーパーから塩が一斉に買い占められ、魚屋を廃業する者まで現れ、共産党にとれば日本を悪者にするカモフラージュだった。

が、その内に中国人の「反日無罪」の怒りのブレーキが利かなくなり、すると中国は日本の半導体の最新技術と交換で鉾を収めると持ち掛けて来る予測があり、日本側はそんなに汚染水が嫌なら日本近海（尖閣諸島を含む）での漁や領海侵犯を禁止せよでお終いである。

結果、人民の怒濤の怒りは中国共産党と習近平に向かうと手が付けられなくなる……そうなる前に、習近平は台湾侵攻を一か八かで決行、同時に日本の尖閣諸島にも進撃を開始する可能性がある!!

その意味では確かに中国は巨大な「時限爆弾」である!!

dystopia

習近平の判断で100万人クラスの町が水没！ 暗殺計画も十数回、粛清の仕返しに脅える日々……世界への波及が懸念される!!

2023年8月、南アフリカのヨハネスブルクで開催された「（第15回）BRICS首脳会議」に参加した習近平は、帰国の際、中南海の官邸に戻らず、突然、コースを変更し新疆へ直行したが、この行動は全くの謎になっている。

２０２３年9月、習近平は、インドのニューデリーで開催された「G20」を突然欠席、中国のイニシアチブを見せ付ける絶好の機会を自らの手でキャンセルした。

この習近平の不可解な行動は様々な憶測を呼び、その理由を、２０２３年7月末～8月2日にかけて河北省涿州を襲った大洪水とした。

元々は、北京西南部の房山区、門頭溝区で１４０年以来という記録的集中豪雨が降り、首都北京と雄安新区を守るため、河北省の7カ所の「洪区（遊水地）」に向けて水門が開かれた結果の人災で、首都を守るため、習近平肝煎りの新都市「雄安新区」を守るため地方の１００万人クラスの町を犠牲にしたのだった。

被災者は３８８万人と公式発表されているが、その十倍から数十倍の犠牲者が出ていることは間違いなく、ようは北京を守るために涿州を水に沈める決断をしたということだったが、結果、習近平を守る最新武装部隊がダム放出を一切知らされず、深夜に部隊ごと全滅したとされる。

その後の習近平の様子が前述のように奇妙になり始め、唐突にボディガードを３００人に増やし、外遊が縮小されはじめ、途方もない規模の大被害を受けた河北省は北京の隣にもかかわらず、すぐに訪れていない。

要は、自分の失策で大災害を引き起こしたことへの、人民や軍の恨みを恐れた習近平は、暗殺を恐れて閉じこもり始めたとされる。

実は、日本では殆ど報道されていないが、鄧小平（トウ・ショウヘイ）は7回暗殺未遂にあっており、胡錦濤（コ・キントウ）は暗殺未遂に3度あい、習近平の暗殺未遂にあった数は、総書記になる前に2回、一期目の任期の5年間に10回、二期目に入ってから2回あり歴代ＴＯＰとされている。

２０１８年10月22～25日の習近平の南方視察中にも暗殺未遂あったことを、アメリカ発の華字メディア「博聞新聞網」が報道、南方視察の活動が突然キャンセルされ、北京に戻ったのは暗殺計画の発覚で、急遽予定やルートを変える必要性が出たとされる。

２０１７年のクリスマスイブにも習近平は暗殺未遂が起き、イブの夜に突然腹痛になって北京の「３０１軍事病院」に運び込まれた。原因が神経性の下痢で、同日、習近平が乗っていた公用車の４００メートル先の「人民大会堂」の駐車場にあった自動車が爆発、タイミングがずれていなければ、公用車から出て「人民大会堂」に向かう途中で命を失うところだった……その報告を聞いて突然、神経性の消化器系の異変を起こしたという。

それから暫くして「中央軍事委員会副主席」の范長龍（ハン・チョウリュウ）が一時期拘束され、取り調べを受けたが無実が証明され、他の軍人が逮捕され処刑されたとされる。

遡れば、２０１４年4月30日の「ウルムチ南駅」での爆破テロ、２０１５年8月12日の「天津大爆発」も習近平暗殺未遂とされ、その予感が２０１３年の「三中全会」以降、習近平は私服の「警護用特別警察官」を12人から16人に増員、公用車を高性能防弾、防爆仕様にし、公の場に出るときは防弾チョッキを必ず着用、外遊に行くときは予備の専用機と私服特別警察を増員配置するようにしたが、２０１８年から22人に増やしている。

２０１７年の「香港返還20周年セレモニー」の際、習近平は「香港全警察」の3分の1を自分の警備にあてるよう要請、2つのホテルを全室借り上げ、屋上にスナイパーを配置、ヘリコプターで空中警戒を行い、防毒ガス・防弾の特注車両で移動する警戒ぶりだった。

一体、習近平はどこまで本気で暗殺計画を恐れているのかは謎だが、少なくとも暗殺されてもおかしくないほどの粛清を行ってきたことは事実で、引きこもった習近平が脳内で何を考えるか、トンデモナイ妄想に陥った際の行動を誰も止められなくなる事態が恐怖される。

中国でガイガーカウンターが爆売れ！　建材からも上海ガニからも放射能で庶民に怒り！　クーデターを恐れインドのG20サミットも欠席の習近平！

2023年9月9〜10日、インドの首都ニューデリーで開催された「G20サミット会議」に習近平の姿は無かった。

戦争中のロシアのプーチン大統領の欠席は多少とも分かるが、習近平の欠席は体調不良ならまだしも不可解とされる。

中国共産党は習近平の許可を得て日本の「処理水問題」を外交手段にしたが、「G20サミット会議」では習近平の代理の李強首相が、「処理水」について一言も口にしない不可解さを示し、習近平にとって日本叩きは何の外交的プラスにもならなかった。

習近平の支離滅裂さは他にも枚挙に暇（いとま）がなく、新型コロナ恐怖症から習近平が掲げた「ゼロコロナ政策」「ロックダウン／都市封鎖」により、アメリカの中国経済制裁に輪を掛け中国経済を一気に傾斜させ、中国全土に飛び火する可能性があった「ロックダウン反対デモ（習近平批判も露出）」が起きると、民衆反乱の恐怖から「ウイズコロナ政策」に1

80度舵を切った。

さらに、不動産バブル崩壊から中国経済崩壊の恐怖を外に向けさせるため、「日本の汚染水（処理水の事）批判」を掲げたら、塩の買い占めどころか中国近海の魚も民衆が敬遠し始め、それが全国規模に展開する動きに習近平は恐怖を覚えた。

それどころか、「ガイガーカウンター」を庶民が買い始め、自宅を調べると東京の976倍も汚染されていることが判明、建材が汚染源と分かると、バブル崩壊で冷え込んだ不動産業界に更なる逆風となり、上海ガニを食べた家族が娘のお腹を「ガイガーカウンター」で測ると、アラームが鳴り響いたとSNSで拡散、「日本の汚染水が河川や湖の上海ガニまで放射能汚染している!!」とパニックが起き、中国産水産物全体を敬遠しはじめたため、中国共産党は慌てて「普通の消費者がガイガーカウンターを買う必要はない!!」と火消しに必死だったが、逆に「ガイガーカウンター」の爆売れ状態がつづいた。

そこへ北京大洪水が起き、未だ処理が進まない泥にも「ガイガーカウンター」を民衆が持ち込み、SNSで流し始めたため、今や習近平の大失策に民衆の鬱憤が爆発寸前にあり、こんな状況のため、自分が留守中のクーデターを習近平は恐れているとされ、重要なインドの「G20サミット会議」も欠席せざるを得なかったとされる。

一方、俄（にわ）かにクローズアップされてきたのが、習近平の「暗殺ノイローゼ」で、特に北京からヒマラヤを越えてインドに渡る航空路を怖がったとされ、それが「G20サミット会議」欠席の真の理由とされる。

なぜ、習近平がインドへのヒマラヤ越えを恐怖しているかというと、中国の民間伝承予言といえる『鉄板図』に「中京の終焉」を物語る絵があり、五羽の鳥の内、黒い4羽は高い山を悠々と超えていくが、白い羽の鳥だけが山に衝突して死ぬ描写があるのだ。

これを「中京＝中国共産党」の最期とすれば、高い山を越えた黒い4羽は、「毛沢東（モウ・タクトウ）」「鄧小平（トウ・ショウヘイ）」「江沢民（コウ・タクミン）」「胡錦濤（コ・キントウ）」で、山に衝突して血まみれになる白い羽の鳥は「羽＋白＝習」の習近平となり、中国政府専用機がヒマラヤに衝突して大破することに恐怖した習近平がニューデリー行きを拒否したという。

さらに、習近平を恐怖させるのが、唐以降の歴代王朝の予言『推背図（すいはいず）』で、あまりの的中に恐怖した歴代皇帝が、禁書、焚書にしても生き残った代物で、習近平も精通しているとされる。

その『推背図』の「第46章」に「東の門の中に金の剣が隠され、背後の門から皇宮に入る兵が弓を持ち、白頭の翁を射殺す」内容の予言がある。

暗殺される「白頭の翁」は「翁」に「羽」があることから習近平とされ、射殺す兵の

「弓」から「強」の字を持つ「李強首相」がいて、同じく「弓」の字が入る「張又俠（チョウ・ユウキョウ）中共軍委員会副主席」がいて、「東＝亜細亜」「劉＝金」の二字を持つ「劉亜洲（リュウ・アシュウ）中国人民解放軍空軍上将」らが揃っている。

果たして習近平は、共産党最後の皇帝として暗殺される運命にあるのか暫くは目が離せないが、もし習近平が消えたら、14億1175万人を有する中国は内乱状態に陥り、軍同士が衝突する中、周辺各国に未曽有の規模の難民が怒濤の如く押し寄せて来るとされる……。

dystopia ㊸

中国古代より伝わる「七大予言書」の1つ「推背図」は日本の沈没、中国への避難、五色人の壁がなくなり、人類一家族時代の到来を告げている!?

預言書と言えば「ヤ・ゥマト（ヤハウェの民のヘブライ語）」の専売特許だが、秦の始皇帝（嬴政）が、レビ族で癒し手の意味の「呂不韋」の子で、司馬遷が『史記』に記したように、漢民族ではなく、始皇帝のシンクタンクとして仕えた「秦人（秦氏）」が、漢字編纂の折に『旧約聖書』を入れ込み、同じ「嬴」の姓の徐福が物部氏の祖として日本を目指したが、それでもヤ・ウマトの一部はユーラシア大陸に残った。

その中の一人が、5言24句の『野馬台詩（やまたいのうた）』を記し、日本の最後の天皇陛下を預言した宝誌和尚（ほうしわじょう）で、遣唐使だった吉備真備（きびのまきび）と阿倍仲麻呂が、唐の玄宗皇帝から『野馬台詩』を解き明かすよう依頼されたのは、それが「瀛州（日本）」についての預言だったからだ。

カッバーラ（カバラ）を知らない中国人に、ユダヤ密教の預言を解き明かすことが出来ず、見事に『野馬台詩』を解き明かした吉備真備の帰国を玄宗皇帝は許さず、預言を『野馬台詩』と一緒に持ち出させないよう楼閣へ閉じ込めたが、「日月を封じる術」で中国全土を暗黒にし、大混乱に陥らせた結果、玄宗皇帝は吉備真備の帰国を許したとされる。

その時の衝撃がどれほど大きかったのか、今も中国は西安市に「吉備公廟」「まきび公園」を造り、「吉備真備の記念碑」（１９８６年）を建立したことで分かる。

その中国に古代から伝わる「七大予言書」なるものが存在する。

周時代の姜子牙著『万年歌』、三国時代の諸葛孔明著『馬前課』、唐時代の李淳風と袁天罡（エン・テンコウ）の共著『推背図（すいはいず）』、李淳風の『蔵頭詩』、唐時代の黄蘗著の『黄蘗禅師詩』、宋時代の邵康節著『梅花詩』、明時代の劉伯温著『焼餅歌』である。

諸葛孔明が預言者だったことは日本ではほとんど知られていないだけに、これから日本でも『馬前課』が研究対象になるだろうが、「七大予言書」の中の『推背図』に、「中台統一」と「日本列島消滅」が予言されているというが本当だろうか？

『推背図』を著したのは、7世紀の唐の李淳風と袁天罡（袁天網）という天文学者で易者だったが、中国歴代王朝の支配者が読んだ際、あまりに的中率が高い予言なので、宋代の太祖は禁書にしたほどだった。

『推背図』の意味は、未来を推すことを進める袁天罡と、未来を予測するのは問題があると背く李淳風の二人が、背中を押されても前に進むことを拒む意味とされる。


予言の内容は、十干十二支の60干支で象徴する60象で成り、第1象（甲子）～60象（癸亥）まで、各象に其々を象徴する「易の卦」と絵が示され、予言内容を示す詩歌、さらに深い予言内容の詩歌（頌）があり、そこから予言を紐解く形式になっている。

60象のうち、第1象は宇宙の成り立ち、第2～9象は唐代、第10～15象は五代十国、第16～24象は宋代、第25～26象は元代、第27～32象は明代、第33～37象は清代、第38～39象は中華民国、第40～42象は新中国となり、第43～60象が今から先の中国の未来に関する予言内容となる。

第55象（東方文化の興亡と盛衰＝戊午・易卦は水天需）：日本は沈没し、流民になった日本国民は大部分が中国に受け入れられ、日本文化は中国の中で根づいて存続するようになる。

第56象（第三次世界大戦の勃発＝己未・易卦は水地比）：兵士のいない戦争が起こり、その戦争は激烈で中国にも戦火が及ぶ。

第57象（天才少年が救世主となって戦争のない世を治める＝庚申・易卦は兌為沢）：第三次世界大戦で荒れ果てた地球に身長100センチ以下の天才少年が「毒を以て毒を制す」武器を使って戦争を終結させる。

その天才少年は呉越（浙江省あたりかベトナム）に誕生する。呉越についてはこの解釈だけではなく、場所の正確な予測はできにくい。

第58象（大統一時代が到来＝辛酉・易卦は沢水困）：第三次世界大戦で大動乱が終わり、各国が手を握って協力し合い、平和的な大統一時代が到来する。

第59象（人類の個人差がなくなる時代＝壬戌・易卦は沢地萃）：大統一時代に入り、個人差が徐々になくなり、都市や政府がなくなり、自他の区別がなくなるようになる。五色人種の壁がなくなり、東西南北が和睦し、人類一家族時代となる。

第60象（古い世界が終わり、新世界が始まる＝癸亥・沢山咸）：矛盾や対立がなくなり、新世界が始まる時となる。

その第55像に「日本は沈没し、流民になった日本国民は大部分が中国に受け入れられ、日本文化は中国の中で根づいて存続するようになる」について、１９９５年、当時の李鵬首相が、オーストラリアを訪問した際、ジョン・ウィンストン・ハワード首相との会談で「日本は20年も経てばこの地球上から消えてなくなる!!」と発言していたのは、この予言解釈を信じていたからに他ならない。

親を日本軍に殺された李鵬元首相は、心情的反日のため、この予言を「中日併合」と曲解したと思われ、事実、２０１５年を過ぎた２０２３年現在、日本はまだ沈没していない。中国から見た東海に浮かぶ日本列島が消滅するのは、最後の天皇徳仁（なるひと）陛下が「出ＪＡＰＡＮ」を決行した後、日本列島に居座る在日アメリカ軍や在日朝鮮人、日本列島沈没を信じない多くの日本人が列島消滅とともに消え失せることになる。

が、モーセと同じく日本海を割って進む大和民族は、中国に留まることなく、約束の地カナンに向かって進んでいく為、『推背図』の解釈は、時代ごとの解釈者により微妙に違うようだ。

このことから、中国の予言書『推背図』は解釈次第で不完全ともなり、数え方や年号も解釈者によって様々になるのは『ノストラダムスの大予言』と同じで、「中台統一」にしても、その時代のイデオロギーや国策がそう解釈させている。

dystopia

国民の凄まじい反発を恐れ、習近平は尖閣諸島にも侵略、日本列島にミサイルを撃ち込む事態も想定内となってきた⁉

ロシアのプーチン大統領の「ウクライナ侵攻」（2022年2月24日）には、それまで幾度もプーチン大統領は、東西ドイツ合併の時の約束「NATO東方拡大禁止」を守るよう忠告したという前提がある。二枚舌外交のイギリスが条文から削除してゴルバチョフ大統領を欺いたのだが、「NATO」を支配するアメリカとイギリスが、条文を確認しなかったゴルバチョフが悪いと黙殺、「CIA」を次々と「旧ワルシャワ条約機構」の国々に送り込んで政権転覆を図り、ついにロシアとの「干渉地帯」だったウクライナにもイギリスのロスチャイルドがウクライナ政府の財務省を管理、アメリカのロックフェラーがペンタゴンの闇予算（Black Budget）で「ゲノムバイオ兵器施設」をウクライナに何カ所も建設したため、プーチン大統領は「自存自衛」でウクライナに侵攻したという理由が成り立つ。

日本人には中々理解できない「ナチス化」も、アメリカが明確なる使命とする「マニフエスト・ディスティニー」を掲げ、有色人種抹殺を啓蒙思想に持つため、既にアメリカはナチス以上にナチス化し、歴史的にもスターリン時代のウクライナは、ナチス侵攻を大歓迎し、時の政権がナチスを利用して独立を図ろうとし、ゼレンスキー大統領も、その頃のウクライナ指導者を賛美する以上、プーチン大統領が指摘する「ウクライナ・ナチス化政権」が正しいことになる。

それに対し、中国共産党の習近平にそんな明確な理論は無く、「アヘン戦争」（1840年）が無かった中国に戻すことと、「日清戦争」（1894年）も無かった中国に戻そうとしている。

そのため、イギリスに奪われた「香港」の自治権を認めず、日本に併合された「台湾」も中国の物となる理屈だが、そもそも「台湾」は清王朝にとって〝化外の地〟で、実質統治したことは一度も無かった。そのため、簡単に日本に手渡せたわけで、習近平にとっては、19世紀から歴史をやり直すことが頭の中で展開しているのである。

同様に「尖閣諸島」も歴史的に日本領だったことは中国の歴史的文献からも証明できるが、習近平の妄想では清王国がイギリスに騙されなければ、そして、日本にも騙されなければ、全て中国領だったはずという論理で、南沙諸島も同様に中国が支配していたはずとし、地図表記に「南シナ海」とあるのも「シナ＝China」が支配する領海の歴史的証拠と言い張るのだから恐ろしい頭だ。

中国が「第一列島線」「第二列島線」を日本列島から始めるのも、日本列島は『魏志倭人伝』に卑弥呼が「魏」へ朝貢した記述から、中国の支配下にあったとし、一部の学者が「日本列島＝中国領」という見方を展開、もちろん、そんな時代に「中国共産党」という〝政党〟が邪馬台国を支配した記録はどこにもない。

中国共産党は、イギリスのサッチャーから始まった「新自由主義」と、アメリカのレーガン大統領から始まった「グローバル資本主義」により、「世界の工場」として西側の最先端技術に触れる機会が訪れ、鄧小平（トウ・ショウヘイ）の「先に富める者から豊かになれ」により、日本経済の爆発的発展を参考に共産主義の顔をした資本主義の〝二足の草鞋（わらじ）体制〟を発展させた。

但し、日本と全く違ったのは、中国共産党による武力増大を狙うあまり、コピーすれば幾らでも最新技術を盗めるため、独自開発と基礎技術を怠って来たことだ。

結果、トランプ政権下の経済的制裁で、欧米の最新技術がＳＴＯＰすると、自己発展性の欠落した中国は「５ｎｍプロセス半導体」も「次々世代半導体」もパクれず、最新兵器もＳＴＯＰ、空母「山東（サントウ）」も甲板に致命的亀裂が入って使い物にならず、鳴り物入りの最新攻撃型原潜「０９３型」も轟音で居所が分かり、黄海で事故を起こして沈没したとされる。

沈没原潜の原子炉から漏れる規定の数十万倍もの放射能拡散を誤魔化すため、習近平の命令で中国共産党が仕掛けたのが、福島汚染水（処理水）放出による日本の海産物への制裁処置とする疑いもある。

2週間で中国本土を放射能汚染水が襲うとリークし、今、その反動で中国人は「ガイガーカウンター」を爆買いし、中国共産党による各地の放射能汚染の凄まじさに初めて気付き始めた。

冷静沈着なプーチン大統領と違い、習近平の支離滅裂さは常軌を逸しており、結果、今になって生じた「隠れ負債」1800兆円が大問題となる。これは地方政府の不動産開発過剰投資が創り出した人災であり、不動産開発に資金を投じてきた総額が「金融危機」に発展するとされ、中国と密接な経済関係を維持する日本経済は、大陸規模の経済崩壊の巻き添えで壊滅の可能性がある。

切っ掛けは、中国の大手不動産デベロッパーの一角の「中国恒大集団」が〝デフォルト（債務不履行）〟の危機に陥り、アメリカの「連邦破産法15条」の適用を申請したことから判明、中国の「不動産バブル崩壊」への懸念が間違いないものとなった。

中国の地方政府の「バランスシート（貸借対照表）」上に出ない〝隠れ債務〟が表に出たことから、「ＩＭＦ（国際通貨基金）」は中国の地方政府傘下の資金調達と、デベロッパーの役割を兼ねた投資会社、融資平台の負債総額を66兆人民元（約1320兆円）と算出、イギリス紙「フィナンシャル・タイムズ」はアメリカの「ゴールドマン・サックス」の試算として、融資平台を含む地方政府の負債総額が94兆人民元（約1880兆円）と報じ、それは中国の2022年度国内総生産（GDP）の121兆人民元（約2420兆円）の80パーセントともなり、途方もない金額の巨大倒産となり得る。

地方債務の問題は以前から指摘されてきたが、習近平はアメリカに軍事力で追いつけ追い越せを最優先に黙殺、ついに隠し切れない事態に突入した。

今や何をするにも支離滅裂に陥った習近平は、国民の凄まじい反発を恐れ、その目先を変えるために台湾への軍事侵攻を画策し、同時に尖閣諸島に侵攻、自衛隊に反撃される前に福岡市を生贄（いけにえ）に中距離核ミサイルを次々と発射する最悪の事態を想定せねばならなくなった。

いっそ中国人にとっても、習近平が暗殺された方が泥沼の内戦に陥らずに済むかもしれない……。

最新鋭の中国の原子力潜水艦「093型」が台湾海峡で行方不明！中国通貨金融制度は、「元本位制」でなく「米ドル本位制」なのがバレてきた!?

最新鋭の中国の攻撃型原子力潜水艦「093型」が黄海で沈没した事実を覆い隠すため、習近平と中国共産党は、高濃度の放射能汚染が中国の海沿いを汚染する前に、福島第一原子力発電所の「汚染水（実際は処理水）」の海洋放出をスケープゴートに激しい批判を始めた。

この動きは、2012年に日本が「尖閣諸島」を国有化した際、中国共産党による「反日無罪運動」で中国人の怒りを煽り、2014年の「BBC」の世論調査でも日本が嫌いと答えた中国人は90パーセントに達したとき以来である。

いつか来た道で、中国の反日デモは自然発生的ではなく、中国共産党が入念に演出し、「中国民間対日索賠連合会」「中国民間保釣連合会」等の党細胞によって全体が操作される。

だから、反日の炎が巨大化し過ぎ、その飛び火が中国共産党に向かないよう、注意を払いながらコントロールし、コントロールの枠を超えたら、党指導部から自制を求める言葉が出て、突然解散していなくなる「愛国組織」になっている。

言い換えれば、事実を知った時の14億（実態は10億人とされている）の中国人の中央政府に対する怒りの連鎖は恐ろしいことになるが、その最大の爆弾が習近平の大誤算で炸裂する「経済クラッシュ」とされている!!

具体的には、物価が継続的に上昇する「インフレ」ではなく、不況で需要が減少して供給を下回る事態の「長期デフレ」か、株相場が大暴落する「経済クラッシュ」しかなく、どちらにせよ一党支配の「中国共産党」はお終いである!!

「野村総合研究所」は、２０２３年6月下旬、「中国はバランスシート不況に陥りつつある」と指摘、中国の「マクロ経済」が需要不足に陥り、日本の失われた30年のような「長期デフレ」に陥るとした。

中国共産党が積極的経済対策を実施できない理由も、大型経済対策で中心的役割を果たした「地方政府」の財政が「過剰債務」で破綻しているからとされる!!

自民党に譬えれば、中央の「自民党国会議員連盟」は無傷でも、地方の「自民党岩盤層」が全滅したに等しい状態をいう……。

つまり、地方政府の歳入源の「土地使用権」の売却収入が、不動産市場のバブル崩壊で大幅に減少、「過剰債務」に陥っても、中央政府は経済対策を講ずる財源「ドル資産」を捻出できないと思われる!!

そんな中でも、経済音痴の習近平は、毛沢東と同じ「共産党的イデオロギー」にしか興味がなく、金銭は打ち出の小槌を振れば天から降って来る感覚でしかないというか、中国共産党も自信があれば大量発行できるはずの「人民元」を大量発行しないのだ。

中国の「中央銀行」に該当する「中国人民銀行」の「マネタリーベース（資金発行）」の伸びと、中国の「外貨準備」の伸びが完全に連動することから、中国の「通貨金融制度」の実態は〝元本位制〟ではなく〝米ドル本位制〟とバレてきた。

だから、ドル資産である「外貨準備」が枯渇する中、中国共産党は〝張り子の虎〟の「人民元」を大量発行できないのである!!

２００８年9月15日、世界金融危機を起こした「リーマン・ショック」の際、中国の「ドル資産」は人民元発行残高の1・3倍だったが、その後、どんどん減少し、２０１５年にその比率は1を割り込み、２０１８年以降、トランプ（前）大統領による「経済制裁」で悪化を辿り、そこで無理をして「財政出動」でもやったら最後、張り子の虎の「人民元大暴落」の悪夢が現実化する!!

一方、国際世界では、世界第2位の経済大国となった中国が発行する「人民元」の信用が増し、中国製品の購入を「人民元」で払うようになってきたため、米ドルの量が目減りする副作用が生じ、地方政府を救う財政出動で「人民銀行」が人民元を大量発行したら最後、米ドル資産の裏付け無しの「人民元」の大量発行は、即行で「人民元大暴落」という、日本のバブル崩壊以上の〝超ハードランディング〟をやらかすことになる!!

その結果、中国の暴走劇に急ブレーキがかかるか、逆に大きな戦争を起こしてガラガラポンでチャラにするかが習近平によって決まり、その判断によって台湾と日本の運命が決定する。

dystopia

スクープ！　習近平の支離滅裂・疑心暗鬼・異常事態・粛清は、中国最強の予言書「推背図」にある暗殺に恐れおののいているから!!

習近平の突然の国際会議のキャンセルや、一貫性のない愚策の連続性は、もはや判断力がない支離滅裂状態で、その最大の理由が、「軍人が習を暗殺する」という中国の予言書『推背図（すいはいず）』に怯え、その恐怖から少しでも怪しいと感じた軍人や指導者を次々と粛清しているとされる。

『推背図（すいはいず）』「第46章」は現在の中国に関する予言とされ、「東の門の中に金の剣が隠され、背後の門から皇宮に入る兵が弓を持ち、白頭の翁を射殺す」という内容で、暗殺される「白頭の翁」は、白頭の「白」と翁に「羽」があることから「習」が出るので習近平とされている。

習近平を射殺す「弓」から軍人とされ、「金の剣」から最高位の軍人となると、〝国防大臣〟が出てくるため、疑心暗鬼に陥った習近平が、李尚福(リ・ショウフク)国防相を逮捕監禁するのは当然の成り行きとなる。

2023年9月15日、東京の「アメリカ大使館」のエマニュエル駐日米大使は、李尚福(リ・ショウフク)国防相が、ベトナム高官らとの会談に現れず、次にシンガポール海軍総司令官との会談にも現れなかったことから、国防相は自宅軟禁下に置かれているのではないかと、「X(旧ツイッター)」に投稿した。

イギリスの「フィナンシャル・タイムズ」紙（2023年9月15日付）も、関係筋の話として、李尚福国防相が当局の調査を受けているとアメリカ政府は考えていると報じ、調査内容については不明として報道していない。

それと前後するように、核兵器を管理する「秘密ロケット軍」を率いる将軍2人も、説明もなく突然粛清され、そのロケット部隊の最高責任者が李尚福国防大臣だったことから、一連の関係が見えて来る。

その前に秦剛（シン・ゴウ）外相も突然解任されたが、事実上の更迭とされ、中国外務省のホームページのトップページから秦剛外相の情報が全て削除、経歴や発言内容を紹介するページも削除され、外務省のホームページで秦剛と検索しても〝見つかりません〟と表示されるほど徹底削除している。

この徹底ぶりは香港のテレビ局の女性キャスターとの関係だけが原因とは思えない。

今、この粛清の嵐に恐怖しているのが、習近平を射殺す軍人の「弓」から「強」の字を持つ「李強（リ・キョウ）首相」で、中国共産党での序列は習近平党総書記に次ぐ第2位のため、最もTOPから狙われる位置にいる。

暗殺予言に恐怖する習近平だが、東北部の陸軍部隊を視察した際、軍上層部の混乱などほとんどお構いなく、さらなる軍の団結と安定を呼び掛け、視察に「中国軍最高機関」「中国中央軍事委員会」の張友霞（チョウ・ユウロ）副主席が同行、「新華社」は習近平の戦闘準備レベルを向上の言葉を掲載した。

「我々は軍隊の教育と管理の厳格化を実施し、高度な団結、安全、安定を維持しなければならない」

この習近平の言葉から何が推測できるかというと、暗殺の不安を一掃するため、軍の支配力をさらに自分に集中することで、「台湾有事」を経済破綻する前に、何が何でも決行する狂気じみた意志だ!!

最近、「国家安全省」が前面に出て「米中首脳会談をやりたいならアメリカ側が誠意をみせろ」とSNSで捲し立てるのが、国家安全部長で党委員会書記の陳文清(チン・ブンセイ)だが、『推背図(すいはいず)』「第46章」の予言にある「東の門」の東が、「陳」にあるため、いずれ粛清される可能性がある。

最後に、敢えて極論を言わせて貰うと、中国最強の予言書の『推背図(すいはいず)』にある「東の門の中に金の剣が隠され、背後の門から皇宮に入る兵が弓を持ち、白頭の翁を射殺す」意味は、〝東海に浮かぶ弓型の島の黄金の箱が習近平を殺す〟意味に受け取れるのだが……果たして!!

dystopia ㊼

習近平に何を告げたのか!?　アメリカの朝貢外交!?
次々と中国に要人を送り込み、最後はキッシンジャーまで訪中！

習近平が異常事態に陥っていることは確かで、2023年8月22日、南アフリカで開かれた「BRICS（Brazil・Russia・India・China・South Africa）首脳会議」に参加したものの、同時に開催された「ビジネス会合」を欠席、代わりに王文濤（オウブントウ）商務相が代読した。

2023年9月9～10日の「G20首脳会議」も欠席、中国のライバルのインドのナレンドラ・モディ首相は、異例とも言える初日に「共同声明」を発表、ウクライナを激怒させたが、世界中をアッと言わせたうえ、インドが主導して「アフリカ連合（AU）」をG20メンバーに加えることに成功、中国の「一帯一路」によるアフリカ巻き込みに陰りが見え始めた。

それどころか、インドは「インド～中東～ヨーロッパ」を鉄道や航路で結ぶ、大規模な「インド・中東・欧州経済回廊（IMEC）」の建設計画をアメリカの同意を得て発表した。

2023年4月19日、「国連人口基金（UNFPA）」は、インドの人口が2023年半ばに14億2860万人に達し、中国の14億2570万人を抜いて世界一になる見通しを発表、それを記念してかは不明だが、インドがヒンディー語の国名「バーラト（Bharat）」に改名する動きも表面化している。

一方、暗殺を恐れる習近平を、中国共産党は水害で苦しむ人民を励ますため、外交より内政を重視しているとしきりに動画を公開するが、自分の仕出かした愚策と支離滅裂な指示で起きた習近平の人災である……問題はそこではなく、スターリンの時代のように中国政府の中心的メンバーが次々と粛清されていくことだ!!

巷で言われ始めたのが、アメリカとの関係を改善できないと踏んだ場合、経済壊滅寸前の習近平は一気に極東アジア征服に舵を切り、日本への核攻撃と上陸を想定した戦略にシフトする兆候も、2023年6月に続き9月15日にも、中国海軍の艦艇（上陸を想定する海底調査測量艦）が、尖閣諸島どころか、鹿児島県内の領海、薩摩半島近くの口之島北東に2度も侵入した。

習近平への踏み絵は、2023年11月のサンフランシスコで開かれた「APEC／アジア太平洋経済協力会議（Asia Pacific Economic Cooperation）」の首脳会議に出席か否かで推し量ることができたが、これには出席した。

習近平が「APEC」に不参加となると、バイデン政権の失策となるため、2023年5月からホワイトハウスは対中外交関係改善のオンパレードを決行、ウィリアム・バーンズ中央情報局（CIA）長官を皮切りに、アントニー・ブリンケン国務長官、ジャネット・イエレン財務長官、ジョン・ケリー気候変動問題担当大統領特使、ジーナ・レモンド商務長官と目白押しで、最後にとんでもない男を送り込んだ。

アシュケナジー系ユダヤのヘンリー・キッシンジャー（元）国務長官である!!

この一連の動きは、双方向往来が外交慣習のはずが、そうではない一方的外交は、バイデン政権の習近平への〝朝貢外交〟と言ってよく、明らかにアメリカが中国にすり寄っている。

その最後の使者がヘンリー・キッシンジャーだったことは、ロシアの「ウクライナ侵攻」絡みであることは当然で、イスラエル戦略と関わっていた可能性がある。

今のままならプーチン大統領の粘りに勝てないと踏んだアメリカは、イスラエル絡みで訴えることとして、ロスチャイルドが仕組んだ〝予言〟の成就への協力で、「第三神殿」建設が間延びする中、ロシアへの協力を正式にやめて貰えれば、追い詰められたプーチン大統領が、ウクライナに向け広島級の「戦術核兵器」を使う結果となる。

それと前後して、アメリカが「HAARP」でエルサレムに直下型地震を起こし、イスラム教の「黄金のドーム」を破壊すれば、イランとサウジアラビアなどアラブ諸国がロシアと結束し、一気にヨーロッパで「第三次世界大戦」を起こすことができる。

一度、「第三神殿」建設を思い止まらせたバイデン大統領だったが、今やアメリカが制止できないほどイスラエルの右傾化が進み、今のままでは勝手に黄金のドームを破壊して「第三神殿」を建設し兼ねない状態になっている。

2022年11月1日、イスラエルの「総選挙」で宗教シオニズムを掲げる極右政党連合「宗教シオニズム／ユダヤの力」が議席を倍以上に増やし、12月に「第6次ベンヤミン・ネタニヤフ政権」に加わり連立政権が発足したが、他の極右政党も連立の中で大きな権力を握り、「最高裁判所」の権限を弱体化させる司法改革、一国家二民族の廃止、第三神殿建設強行の動きを誰にも止められない状況に入っているのだ。

その予言絡みの説得が、逆に習近平の暗殺予言に火をつけた可能性もあり、それが切っ掛けで習近平のあらぬ方向へ暴走が始まったとすれば、キッシンジャーはワザと予言を持ち出した可能性があり、習近平が暴走すれば世界はロスチャイルドとロックフェラーに都合よく動くことになる。

偽のユダヤ・キッシンジャー（ロックフェラーの番頭格）は、習近平・中国の日本核攻撃を煽っていた……本物のユダヤ・日本を滅ぼしたい

大和民族は、ノアの三人の息子の一人、セム（メルキゼデク）の一族から出たアブラハム（アブラム）の直系であり、イスラエルと呼ばれたヤコブに属する絶対神ヤハウェの民のヘブライ語「ヤ・ウマト」と名乗って来た。

セムは「セム語圏」とあるように、アジア人（黄色人種）の祖で、「ノアの箱舟」に一緒に乗った妻が「モンゴロイド」だったことから、子孫は全てモンゴロイドとなるが、その中でアブラハムの祝福から神の選民の徴「ＹＡＰ＋」遺伝子が組み込まれたヤ・ゥマト（大和民族）は、他のモンゴロイドと区別された。

但し、アブラハムの妻サラに暫く子が出来なかったことから、サラが女奴隷ハガルを夫に差し出し、子を成してほしいと頼んで出来た子がイシュマエルだった。

イシュマエルには、アブラハムの「ＹＡＰ＋」があり、後にハガルがエジプトからイシュマエルの妻を与え、その子孫がパレスチナ人を含むアラブ人となり中東全域に広がり、〝イスラム〟の語源となったともいわれる。

一方、ユダヤ人として現在のイスラエルに住んでいる多くの白人種は、ノアの長男（三男ではない）ヤフェトとコーカソイドの妻の末裔で、「ＹＡＰ＋」遺伝子を持つ黒い髪と黒い瞳のスファラディー系ユダヤ人（パレスチナ人を含む）を弾圧、自分たちが本当のユダヤ人として支配するアシュケナジー系ユダヤ人だが、血統的には偽物である。

その筆頭が、ロスチャイルドの傍系のロックフェラーの番頭とされるヘンリー・キッシンジャーで、ニクソン政権で国務長官を務め、日本の頭越しに「米中国交正常化」をやってのけ、２０２３年11月に亡くなるまで、隠然たる影響力をホワイトハウスに及ぼしていた。

そのキッシンジャーは、アシュケナジー系ユダヤ人として大和民族（ヤ・ゥマト）を徹底的に毛嫌いしていたことが有名で、その理由が、当時の田中角栄首相がアメリカを差し置き、勝手に「日中国交回復」をやってのけたことが許せないと言われている……が、果たしてそうなのか。

田中角栄の時代、日本全体が新しい方向へ向き始めた頃で、巷では『日本列島改造論』が飛び交い、角栄亡き後も角栄待望論が噴出するのは、閉塞感打破願望から当然で、角栄といえば高等教育を受けずに宰相に至った稀有な政治家でもあり、日本近代&現代政治史上最もユニークな人物だった。

その田中角栄が逮捕された時、裁判所を出た自民党の幹部たちが「アメリカにしてやられた!!」と異口同音に語ったが、キッシンジャーに嫌われたことが原因とされている。

ヘンリー・キッシンジャーは切れ者のユダヤ人学者であるとともに、アメリカの世界支配の上で外交官として辣腕を振るった男で、チリのアジェンデ大統領をクーデターで倒し、最後には死に追いやった張本人とされる陰湿な陰謀家でもある。

田中角栄は右翼の児玉誉志夫とのつながりが大きな政治家で、児玉は「第二次世界大戦(太平洋戦争)」でアメリカの敵だった日本人の中でも最悪の敵で、「GHQ(連合国軍総司令部)」のインテリジェンス機関、防諜部隊「CIC」は児玉を「極めて危険な人物」として徹底マークした。

児玉は「A級戦犯容疑者」として逮捕され、巣鴨拘置所に収容されたが、李氏朝鮮の血を引く岸信介と同様にアメリカの犬になる条件で釈放、戦時中に預かっていた「児玉機関」の莫大な資産を、今の「自民党」の前身である「自由党」創設の資金に提供、アメリカの思惑通り、岸（李）信介政権の1958〜59年に、「警察官職務執行法（警職法）」改正をめぐって政局が混乱した際、フィクサーとなっていた児玉は次期首相を決める「キングメーカー」としての地位を固めていったとされる。

1950年、アメリカの情報機関は児玉をさらに利用しようと、同年3月31日付で「JSOB（合同特殊工作委員会）」に配布された児玉の個人ファイルは激変している。

「児玉の強みは、非常に任侠的な点。私欲のない愛国者。全面的に反共産主義。若者の指導に深い関心あり。カネには非常に無関心」

「児玉の弱点は、感情的な男であること……悪い友だちから逃れられないので、簡単にだまされやすい」

「JSOB」とは、当時GHQの情報活動以外に、後の「CIA」など他の情報機関の代表も入れて構成された、情報工作の調整組織で、東京の「アメリカ大使館」が本部になっていた。

こうして、アメリカの各情報機関は競い合って、児玉から情報を入手しようとしたが、田中角栄が登場するや児玉が正体を見せ始め、アメリカの植民地を拒否するかのように、勝手に中国と国交を回復させ、ヨーロッパとも「原発」の放射能処理の面で積極外交を見せ、田中角栄と児玉誉志夫が勝手に動き始めたため、キッシンジャーは二人がアメリカの鎖を断ち切る〝裏切り〟を開始したことを知る……。

児玉を通じて日本の政界に、「児玉機関」の莫大な金が流れたことが、ワシントンの政治家にとって、パールハーバーに匹敵するショックを与え、アメリカの「WGIP（戦争罪悪感プログラム）体制」を破壊しようとする児玉と田中を表と裏の両舞台から排斥するため、仕掛けたのが「ロッキード事件」だった。

結果、田中角栄は賄賂に手を出す悪徳政治家として、児玉誉志夫は日本に害なす国賊のレッテルが貼られ、CIA誘導で在日が支配するマスゴミ誘導により、茹で蛙と化し始めた日本人はスッカリ騙されてしまうのである。

更にキッシンジャーには別の意味で日本人をさらに忌み嫌う理由があり、それは自分が偽物のアシュケナジー系ユダヤ人で、アメリカが屈服させた日本人が真のユダヤ人であることへの底知れない怒りと嫉妬心だった。

それは、その後も全く変わらず、「太平洋戦争」で地球上から日本人を消し去るはずが、「玉音放送」で達成できなかったことを、中国の習近平に代わりにさせるよう、頻繁に中国を訪問し、習近平に「アメリカ議会は中国が日本中に核兵器を落としても、日本のためにアメリカを危険に晒す米中核戦争は絶対に起こさない」と煽り立てていた。

沖縄から海兵隊の脱出が始まり、アメリカ空軍のF－15戦闘機も居なくなり、日本を核攻撃し易く誘導しているのは、アメリカで絶大な力を有するユダヤ系ロビー活動はもちろん、アシュケナジー系ユダヤに絶大な力を与えるドイツ系ユダヤ人ロックフェラーという構図で、その番頭格がキッシンジャーだったが、ロックフェラーの正体はユダヤ系ではなく、ロスチャイルドと同じハム系クシュのニムロド王の末裔だが、キッシンジャーはこの構図を理解して、ヤ・ゥマト抹消を図っていた!!

dystopia
49

自衛隊も「軍事ドローン部隊」の拡充を急げ！　習近平が台湾侵攻、尖閣諸島、沖縄全諸島、九州を奪いに来るこれだけの理由!!

習近平が「台湾統一」を中国共産党の宣言に掲げる以上、中国人民解放軍が台湾に武力侵攻するのは時間の問題に見える……もちろん、習近平の身が安全のままという条件付きだが。

2023年9月12日、香港メディア01が、台湾の台北で開催された「2023年地政学サミット」に出席した国際関係学者ジョン・ミアシャイマーによる「台湾海峡で戦争が起きた場合の可能性で最も高い要素」を紹介している。

1：中国とアメリカの二大国間の戦争に発展すること!!
2：核保有国同士の非常に危険な戦争になること!!
3：台湾海峡を横断する必要があり激しい水陸戦が展開されること!!
4：実戦経験に乏しい中国軍がアメリカや日本による台湾支援に手を焼く可能性があること!!
5：戦争が長期化する可能性があること!!
6：各当事者にとって代償が非常に大きくなること!!

結果的に中国にとって最良の選択肢は「平和的台湾統一」しかないが、台湾社会が中国共産党に組み込まれる統一を良しとしない以上、習近平は現状を容認し続けるしかない。が、台湾が独立を主張するなら、中国共産党は「反国家分裂法」を根拠に武力行使に打って出るため、台湾はウクライナ同様の壊滅的状況に陥るとし、一方の中国もロシア同様、改革開放以来積み上げた発展の利益を危うくするとした。

その内、さらに中国が経済発展し、軍事力もアメリカを超えたら、一つの中国を認める台湾社会の声が高まり、両岸の平和と統一への希望は自然に大きくなるとした。

が、それは非常に甘い見方で、今や中国経済は「粉飾決算」のメッキが次々と剥がれ落ち、いくら中国経済はデフレに陥らないと胸を張っても、不動産市場が一段と悪化する現状で、2023年9月15日に公表された8月の「主要経済統計」は、関連指標が軒並み低迷、開発最大手の「碧桂園（へきけいえん）」（カントリー・ガーデン）で経営危機が表面化、経営が安定していた「碧桂園（へきけいえん）」がドル建て債の利息を払えず、市場に不安が広がった。

大手の「大連万達集団（だいれんワンダ）」も経営危機が判明する中、アメリカの格付け大手「ムーディーズ・インベスターズ・サービス」は、2023年9月14日、中国不動産業界の格付け見通しを引き下げたと発表、翌15日、中堅の「遠洋集団」も、4000億円の赤字で流動性が厳しいとして、全ての「外貨建て債」の支払いを停止すると明らかにした。

これには流石の「中国共産党」も危機感を強め、2023年8月末、住宅購入時に必要な頭金の比率を引き下げると発表、大都市での住宅購入制限も段階的に緩めたが、欧米の専門家は、人口減の構造的課題を抱える中国の回復には、小出しではなく更なる財政支援策の拡充が必要と指摘しても、中国のアメリカドル保有の外貨準備高が、表向きの数字と違い底を舐め始めているため、大胆な支援などできるはずがない。

中国経済の先行き不透明感が強まる一方、2023年の経済成長率が政府目標の〝5パーセント前後〟に届かない市場予想も出始めていて、確実に中国経済は失速を始めている。

つまり、習近平にとれば、尻に火が付いている状態で、台湾の機嫌をとるような暇は全くなく、一刻も早く台湾を武力制覇し、台湾が誇る世界一の半導体企業「TSMC／台湾積体電路製造」を奪い取り、世界の半導体製造シェアの53・4パーセントを占めるモンスター企業を使って世界を支配すれば、習近平の世界皇帝も夢ではなくなる……。

最近の日本ではあまり知られていないが、台湾には3000メートル級の山が200座以上も鎮座し、中でも最高峰は標高3952メートルの「玉山（ぎょくざん）」で、「富士山」の3776メートルより高く、1941年12月8日、真珠湾攻撃許可の暗号電報「新高山（ニイタカヤマ）登レ一（ヒト）二〇八（フタマルハチ）」の暗号電文に使われた「新高山」が日本統治時代の「玉山（ぎょくざん）」の旧名である。

そこに、欧米の軍事産業からパクった最先端レーダー技術で「玉山」に様々な軍事レーダーシステムを置けば、尖閣諸島はもちろん、北海道の宗谷岬に至る日本列島全域の監視が可能で、事実、「玉山」の北部の標高2500メートルの「楽山」の山頂には、弾道ミサイル探知・識別用レーダー「高度早期警戒レーダー・システム／フェイズドアレイ・レーダー」が置かれ、それも中国共産党に渡れば、日本の全ての動きを感知できる。

これが「台湾有事」が即「日本有事」に至る仕組みで、習近平が太平洋制覇に乗り出すには、台湾侵攻だけでは不十分で、尖閣諸島は当然のこと、沖縄に至る全諸島を中国共産党が制覇する「第一列島線」を確保して、初めて中国海軍の艦船が安心して太平洋に抜けられるのである。

もちろん、その時は今の九州の姿はない……福岡県を中心とする「戦術核兵器」の集中被弾で全面焦土と化しているからだ!!

中国の人民解放軍のみならず、艦船数、戦闘機数で圧倒される台湾は、ウクライナでの戦闘でハイテクを駆使した様々な「軍事ドローン」を製造、「無人艦船ドローン」を含め安価で大量生産したら、習近平の出鼻どころか十八番の中国艦船も破壊できる可能性が高い。

これに倣って、自衛隊も本気で陸海空の「軍事ドローン部隊」を急ぐ必要がある!!

新日中戦争のシミュレーション！　人民解放軍は、沖縄と福岡を戦術核兵器でまず消滅させ、出鼻を挫く作戦である!!

中国人民解放軍が台湾に侵攻した時点で「新・日中戦争」も自動的に勃発する!!

日本側に戦争をする気が無くても、日本領土の「尖閣諸島」に侵攻された段階で、中国の日本侵略戦争が開始されたことになり、自動的に防衛作戦が開始されるからだ。

中国には台湾と日本に対してそもそも大きく二つの選択があり、まず「台湾侵攻」においては、多少の戦術的違いはあれど、大きな意味で「直接威圧行動」となる台湾上陸の「攻撃&侵攻戦術」と、他には台湾領海内の小島を全て制圧、中国海軍の艦船が台湾を取り囲んで兵糧攻めを開始、海底ケーブルは全て切断して情報を遮断、アメリカがキューバにしたように、台湾封鎖で船舶を全て出入り禁止にし、ミサイルで空港の滑走路を破壊して航空機の離発着を不可能にする。

前者は、アメリカの「空母打撃群／Carrier strike group」である「第七艦隊」が到着するまでに制圧しなければならず、下手をすればアメリカインド太平洋軍の「第三艦隊」も出張って来る。

そのため、中国共産党は、アメリカ議会に対して「アメリカは太平洋を担う二隻の空母を中国の空母キラー大型ミサイル『東風（ＤＦ）21Ｄ』と『超音速対艦巡航ミサイルＳＳＮ22』で失ってもいいのか？」「国家の認定もない台湾を相手に、米中全面核戦争をやる度胸はあるのか？」のメッセージを硬軟取り合わせて送る必要があり、その「認知戦／Cognitive Warfare」を事前に始めておく必要がある。

「認知戦」とは、ヒトの思考と行動を司る脳の認知領域を制御し、操作する戦争形態を指し、中国共産党による台湾社会への認知戦で知られるようになった。

「空中戦」とはＳＮＳのネット空間が戦場で、「地面戦」はアメリカに住む中国人を使い、職場、大学、地域の住民をコントロールするやり方をいう。

一方、先の「太平洋戦争」で日本は、アメリカ人の行動を大きく見誤って真珠湾を攻撃し、国内向けでは「アメリカの男は女の尻に敷かれてるので日本男子の敵ではない」と洗脳した。

「台湾侵攻」で習近平にとって、当面の邪魔なのは日本の自衛隊で、人民解放軍が自衛隊に対してやる作戦は「殲滅作戦」しかなく、先に「尖閣諸島」に侵攻するにしろ、そこで海自を人民解放軍の海軍と空軍で迎え撃ち台湾に向かわせない状態にすることは間違いない。

が、ここから先が二つの戦術に分かれ、一つの戦術は、「台湾侵攻」「尖閣諸島侵攻」と同時に、沖縄と福岡を「戦術核兵器」で蒸発させ、日本の戦意を挫くことである。平和ボケした今の日本人は、戦後の安寧の中で平々凡々と生きてきたため、核で簡単に挫くことができるなら、福岡をスケープゴートに戦術核を使うことになる。

但し、沖縄に核兵器を落とす条件として、先にアメリカ軍が沖縄からトンズラしていることで、沖縄に海兵隊やアメリカ軍の戦闘機も居なくなれば、習近平を誘い込むのに「さあどうぞ」が始まる。

一方、北朝鮮とロシアが習近平と足並みを揃える場合、「統一教会」「創価学会（公明党）」「在日自民党議員」らが支配する腐った日本を皇祖神が守るとは思えず、日本は横っ腹からも両国に攻撃される事態に陥るため、結果として八つ裂きとなり、アメリカの「正義の騎兵隊」の出番を演出するだけのクズとなる。

一方、イスラエルも今や大変な事態となり、米英軍の作戦指導将校の言うことを聞かなくなったウクライナ軍のように、イスラエルは且つてない〝極右政権国家〟と化してしまった。

3つの極右政党が連合した政治会派「宗教シオニズム」が6議席から14議席へ大躍進す

る中、バイデン大統領の「第三神殿建設延期」に従った「労働党」は、政権与党から4議席へと急落、「宗教シオニズム」のベザレル・スモトリッチ党首は、財務相ポストと兼務で国防省内に新設された「第2国防相」のポストに就任、今まで国防相が一括で掌握したヨルダン川西岸の占領行政の権限を、極右のスモトリッチが担うことになった。

結果、イスラエルでの超シオニストたちの勢いは止まらず、「本物のレガリアが無くても、同じ物は聖書の記述通りに造ってあるため、明日にでも第三神殿を建設する!!」勢いで進撃している。

Part 6

狙われる理由
ロスチャイルド、ロックフェラー、
在日シンジケート支配の中で
日本人はもうすでに死んでいる⁉

第三神殿建設と天皇の持つ三種の神器！ バイデンはイスラエルをネタニヤフを止められない事態で、最悪の事態が起こる!?

既にイスラエルは、『旧約聖書』を参考に10年以上前にレプリカの三種の神器、「アロンの杖」、「マナの壺」、「十戒石板」と「契約の箱」を製作し、同様にブロック別の「第三神殿」も完成させ、エルサレム近くの空軍基地の地下に格納されている。号令次第でピストン空輸すれば、僅か3日で「第三神殿」を完成させることができるという。

２０２３年、「第三神殿建設」の約束の期限（２０２２年7月17日）がとっくに過ぎ、シオニズム運動の過激派が業を煮やしている!!

ロスチャイルドが仕組んだ、「ダニエル書」の偽解釈の連続で、如何にも神の選民がイスラエルを建国し、エルサレムを奪還したかに見えているが、全てイギリスのロスチャイルドと、アメリカのロックフェラーが仕組んだシナリオで、２０２１年3月16日に65年ぶりに第二レガシーの「死海文書」が発見されたため、アシュケナジー系ユダヤは「第三神殿」建設の約束の時を信じて待っていた。

「エルサレム復興と再建についての御言葉が出されてから油注がれた君の到来まで七週あり、また、六十二週あって危機のうちに広場と堀は再建される。」（『旧約聖書』「ダニエル書」第9章24〜25節）

第二のレガシーが世に出て、7週＋62週＝69週、つまり7×69＝483日後、2021年3月16日から360日（1年）＋123日（約4カ月）後の、2022年7月17日のシオン祭の最中に、預言通り「第三神殿」が建つはずだったからだ!!

ところが、「ロシア正教会」のモスクワ総主教キリル1世とプーチン大統領が、「イルミナティ／Illuminati（Late-day）」の戦略、「Great-reset／グレート・リセット」を見抜き、先手を打って「ウクライナ侵攻」（2022年2月24日）を開始したため、ロックフェラーの犬のバイデン大統領が、大慌てで7月13日にイスラエルを緊急訪問し、「第三神殿」建設を思い止まらせた。

そのまま進めば、ロスチャイルドとロックフェラーの準備が整わない前に、ロシアが「パワーゲーム」の主導権を握り、アメリカとイギリスが後手に回ってしまうからだ!!

結果、極右のアシュケナジー系ユダヤは後回しにされ、長引く「ウクライナ侵攻」でついに彼らも業を煮やし、ブレーキを掛けたバイデン政権の言うことを聞かなくなっているのである!!

それではアシュケナジー系ユダヤ（血統的イスラエルではないユダヤ教信者の白人種）にイスラエルを建国させたロスチャイルドとロックフェラーの目的と相容れない。

特にニムロドの末裔のロスチャイルドは、黄色い猿（日本人）を「ゲノム遅延死ワクチン」と「中国の核攻撃」で地球上から消滅させ、ユダヤの「三種の神器」と「契約の聖櫃アーク」を奪わなければ、セム（メルキゼデク）に首を刎ねられたニムロド王の二の舞になるため、日本から「レガリア」を強奪した後の「第三神殿建設」でないと、枕を高くして眠ることが出来ない。

にもかかわらず、「パレスチナ」を追放し「第三神殿建設」に舵を切った、ベンヤミン・ネタニヤフ首相の超極右政権は、アメリカのバイデン政権にとって頭の痛い存在となった。

その波及は、日本の「アメリカ大使館（極東ＣＩＡ本部）」にも及び、アシュケナジー系ユダヤのネタニヤフ首相と関係が深いスファラディー系ユダヤのラーム・エマニュエル駐日アメリカ大使は、「X（旧Twitter）」で〝習近平叩き〞を開始、それを知ったバイデン政権がことを急ぎ過ぎるとしてＳＴＯＰを掛ける事態になった。

エマニュエル駐日大使の「戦狼外交発言」は以下の通り過激である。

●暴力行為を道徳的に非難しない国は、プーチン（ロシア大統領）の血に染まった剣を一緒に握っている!!
●習近平主席の内閣ラインナップが今やアガサ・クリスティの小説『そして誰もいなくなった』に似つつある!!
●秦剛外交部長の行方が分からず、今は李尚福長官が2週間公開席上に姿を見せないでいる!!
●習主席のプレーブックは明らかだ。犠牲になった命は全く顧みず、政治的利益のために厚顔無恥に人間の悲劇を利用する!!
●習政府は米国がハワイ山火事を起こしたという偽りの主張を撒き散らし、新型コロナウイルス感染症を米軍が中国に持ち込んだと非難し、福島に対する虚偽情報を撒き散らしている!!

それについて批判するアメリカの日刊紙「ウォール・ストリート・ジャーナル」に対し、エマニュエル駐日大使は凹むどころか、逆に「私を批判するのは中国問題という本質から抜け出すことだ!!」と、闘鶏のように噛みついている。

どうやらエマニュエル駐日大使は、習近平を徹底的に追い込むことで、一刻も早く黄色い猿を熱核反応で地上から蒸発させ、そのドサクサに「レガリア（三種の神器と箱）」をイスラエルに運び出そうとしているとしか思えない。

白人種のアシュケナジー系ユダヤと、YAP＋の傍系のスファラディー系ユダヤにより、真のイスラエルを形成し、世界に冠たる不動の地位を、今やクズと化したヤ・ゥマトから奪い取り、ユダヤの「レガリア」をエルサレムに運び込んで「第三神殿建設」を達成する使命に燃えている!!

元々、天皇徳仁(なるひと)陛下を政府専用機のボーイング機で墜落させるために、アメリカから送られてきた男だったが、プーチン大統領の「ウクライナ侵攻」で全ての段取りが狂ってしまった。

エマニュエル駐日大使は、天皇家が管理するユダヤの「レガリア」を奪うために、日本に送られたスファラディー系ユダヤで、福島産の魚を食べるパフォーマンスも、日本人を擁護するためでなく、習近平へのプレッシャーが目的で、プーチン大統領の戦術核兵器使用のチャンスを逃さず、台湾に侵攻させると同時に、日本への核攻撃にも躊躇させないメッセージになっている。

今のままでは、ホワイトハウスとイスラエルの間の溝がどんどん広がり、何か突発的な出来事一つで事態が大きく動き始める可能性がある。

dystopia

日本に救いなどどこにもない！ 中国経済崩壊の超巨大「経済的ハルマゲドン津波」でまっ先に呑み込まれるのは日本!!

「危機管理」の鉄則は最悪の状況を想定することだが、そこまで大上段に振りかざさなくても、〝今、目の前にある危機!!〟のレベルだけで、ロシアがウクライナのキエフとオデッサを戦術核攻撃したら、中国も間髪を入れず日本（第一撃は福岡になる可能性が大きい）を核攻撃することで、台湾は恐怖して軍門に降ることになる。

別のケースでも日本人には致命的で、台湾侵攻前に中国経済が持たずに大崩壊し、人民元の価値が紙切れ同然に暴落すると、中国株を売却する中国人民どころか、欧米の主要投資家たちが一気に逃げを打ち、世界の株式、低格付けを中心とする債券、アメリカの商業用不動産、新興国通貨、中国が一定需要を占めた銅や鉄鉱石、原油などの価格も一気に大暴落する!!

つまり、中国人民解放軍に日本が核攻撃されなくても、中国経済大崩壊、人民元大暴落、中国株大暴落の三連発で、中国重視だった日本経済が吹き飛ぶことになる!!

日本経済が中国と深く繋がるため、経済大国第2位の中国が倒れたら、その巻き添えを食って日本経済も呑み込まれるということだ。

史上最大の「中国経済大崩壊」を日本はまともに喰らい、核兵器を打ち込まれなくても日本はお陀仏になるという意味である!!

アメリカはそのことを理解した上で日本から脱出しようとしており、岸田政権に命じているのは、まだ日本に金がある内に財布の中身をアメリカに使わせることである。岸田首相にアメリカの代わりに何兆円もの海外へのバラマキをさせ、ウクライナの連帯保証人に日本人全員の資産が使われるようサインさせたことが日本崩壊を確実にした!!。

つまり日本は、ステルス支配するアメリカ軍の傀儡（かいらい）である自民党を筆頭とする「在日シンジケート」に支配された段階で、どちらに転んでも「お前はもう死んでいる!!」なのである!!

そんなことはないと信じたい日本人に対し、冷徹な事実を列記すると、日本人に救いなどどこにもないことが分かるはずだ。

2023年に入って如実になったのは、人民元の下落が止まらないことで、アメリカの予測では年末までさらに下落し、歴史的安値になる陥ることが確実ということである。

中国の中央銀行である「中国人民銀行」は、激減する米国ドルの外貨準備高の中、何とか為替介入で対応しても焼け石に水で、２０２３年8月、共産党政権は推計方法の改善を理由に、若年層の失業率の公表を一時中止、公表できないほど中国経済が悪化している現状を露呈した。

この中国経済の構造的問題を、ほとんどの日本人は理解しておらず、対岸の火事程度に考えているかもしれないが、欧米の白人投資家や巨大ヘッジファンドは、ほぼ正確に中国崩壊を分析しており、もはや何をしても人民元の下落に歯止めがかからないと知っている。

２０２３年8月以降、「中国人民銀行」は、人民元安に歯止めをかけようとするが効果がなく、共産党政権が人民元安を食い止める足元から、欧米の白人投資家の売りにより、人民元に先安観が拡大、不安定さを払拭できずダッチロール状態に陥った。

人民元下落の背景にあるのは、共産党一党支配による中国経済の閉塞感と、経済の高成長を支えるメカニズムが限界を超え、不動産バブルの完全崩壊と同時に、高金利の信託商品、理財商品の「デフォルト（債務不履行）」へ突入する!!

習近平政権は、何よりも先に不良債権処理を進める必要があったが、経済音痴の習近平は、『毛沢東語録』を振りかざして「文化大革命」を起こせば何とかなると考えた毛沢東と同じで、もはや穴だらけの超巨大タンカーから石油が駄々洩れ状態に陥り、船体が大きく傾き始めたのが今の中国である!!

それは２０２３年初頭からの人民元の数値を見れば明らかで、２０２３年2月初旬、アメリカ金利の上昇から人民元への売り圧力が高まり、その後も人民元売りは止まらず、5月上旬、6月下旬で人民元は1ドル＝6・9ドル台から7・26元台に下落、7月、中国共産党は通貨安に緊急対応するため、「中国人民銀行」の総裁に潘功勝(パンゴンジャン)をつけたが焼け石に水で、7月下旬、人民元の下落圧力はさらに強まった。

そんな中、中国の不動産開発大手の「碧桂園(カントリー・ガーデン)」「恒大集団(エバーグランデ)」の経営不安が発覚、債務不履行への懸念が、信託商品や理財商品のデフォルトリスクを急上昇させ、8月15日、人民元は1ドル＝7・30元台まで下落する!!

その直後、日本の「福一処理水」が放流されると、人民の不満に対するガス抜きに、中国共産党は日本に噛みつき、政府主導で日本製品不買運動を開始、国内不満の矛先を全て〝汚染水を垂れ流す日本〟に向けていった。

9月22日、「FRB（米連邦準備制度理事会）」のパウエル議長は、金利の利上げを据え置いたが、年内に再び利上げを行う可能性を示唆、中国にとって息継ぎのブレス一呼吸分だけ先延ばしになった。

共産党政権下の中国の「年金」「医療」などの「社会保障制度」への国民の不安はある

ものの、共産党への長年の慣れから、一部の経済界の人間や幹部以外、超巨大タンカーが本当に沈没するまで逃げ出す者はいないと思われる。

2023年3月下旬、フランスで「年金受給開始年齢」を62歳から64歳に引き上げる「年金制度改革」が発表されただけで、大規模デモが10回を超えているが、同じことが中国全土で起きた場合の規模は言語に絶するはずである。

そうした状況下で、習政権は金融緩和で経済環境の悪化を何とか食い止めようとしているが、習政権は「不良債権処理」「構造改革」への大鉈（おおなた）を発表出来ないのは、今までに積み上がった天文学的規模の「粉飾決算」が途方もない額に達しているからである!!

その結果、習近平は、経済より政治基盤である共産主義精神の強化を重視するしか頭が回らず、その姿は『毛沢東語録』で全てを押し切ろうとした毛沢東を髣髴させる。

さらに債務問題が深刻化すると、バブル崩壊（既に崩壊している）を経て「デフレ経済」が一気に深刻化、中国の内部崩壊が現実化すると、日本、ドイツ、アジア新興国の対中輸出に致命的影響が出るどころか、世界経済の成長率に急ブレーキが掛り、白人の主要投資家、欧米の巨大ヘッジファンド、企業経営者の全てがリスク回避に走り、世界第2位の経済大国の内部崩壊で起きる「経済的ハルマゲドン津波」により、世界各国はもちろんだが、首までドップリ中国に漬かった日本経済は、巻き添えで吹き飛ばされることになる!!

支離滅裂となった習近平は粛清に精を出すしか能がない!?
中国の経済計画は大失敗で世界同時クラッシュか!?

頭の悪い習近平と中国共産党と言えば失礼だが、残念ながら事実なので仕方がない。

だが、習近平の頭の悪さと、中国共産党の頭の悪さは質が違い、前者は共産主義国家の独裁者に従うことで地位を確実にするイエスマンの官僚主義者としての頭の悪さである。

「○年計画」を執行すれば全て上手くいくという傲慢さの頭の悪さで、後者は何も考えず、

共産主義国家では、必ずこの二つが手を組むことで崩壊への道を辿っていく。

そもそも論だが、「計画経済」が上手くいはずがないのは、まず中央政府の「計画経済」ありきで始まり、現場の現状など全く考慮されないことである。

さらに悪いのは、それがスターリン、毛沢東、習近平などの独裁者が思い付きで勝手に線を引き、現実無視の設計図を命令と称して下へ押し付けることで、いつも最悪の結果を導き出すのである。

旧ソ連の独裁者スターリンは、「五カ年計画」を突然立ち上げ、農業集団化を多くの農

民が反対したにもかかわらず強権的に推し進め、膨大な数の農民を強制移動させた結果、土地を奪われた農民の生産意欲が落ち、1931〜32年に掛けて大飢饉が襲い、500万人が餓死する最悪の結果となったが、スターリンと中央政府は餓死を覆い隠し、「五カ年計画の偉大な成功」として讃え上げた。

同じ共産主義者の毛沢東は、国家の要職を中国共産党に独占させ、全国で50万人以上の反対者を投獄、「大躍進政策」という非人道的計画経済を中国人民に強制した結果、少なくとも1625万人、多ければ7600万人の死者を出し、その責任で失脚するが、1966年、一度失った権力を取り返そうと『毛沢東語録』を出版、若者を先導して「文化大革命」を起こし、数百万人〜2000万人以上の死者と、中国文化と芸術品を徹底的に破壊し尽くした。

共産主義で育った習近平も、農村住民より都市住民の方が所得が高いならと、農村住民を都市住民にし、地方政府の尻を叩いて都市化を進めれば、中国経済はアメリカより成長するとし、2014年、「新型都市化政策」を打ち出した。

そして、地方の市街地人口50万人以下を「小都市」とし、50万〜100万人を「中等都市」、100万〜500万人を「大都市」、500万〜1000万人を「特大都市」、1000万人超を「超大都市」と呼んで地方政府同士を競わせ、次々と何も無かった処へ高層マンション群を建設していった。

同時に、これまでの「一人っ子政策」を中止し、「ふたりっ子政策」を進めるが人口減少に歯止めが効かず、内陸や郊外の発展を優先させる「新型都市化計画」は、人口低密度開発という皮肉をもたらし、農村で生活していた人間を鉄筋コンクリートに押し込めても、そこから田畑に通う距離が遠いばかりか、都市を埋める人口が圧倒的に少ない結果、都市の常識である一定空間に産業と人口が密集することで効率が上がり、人間の交流に伴うイノベーションを促進させる現象が全く起きなかった。

ド田舎の真ん中に高層マンションが建ち並ぶ街に人影が全くなく、病院もスーパーも稼動せず、ついには建設途中で工事が止まって廃墟になるゴーストタウン「鬼城（グェイチョン）」が全国に出現した。

習近平肝いりの新副都心建設計画「雄安新区」も大失敗で、荒野に２００万人が住む巨大都市をゼロから創造する巨大プロジェクトは、巨大なゴーストタウンを生み出すだけとなった。

皮肉なことに、労働者がゴーストタウンを建てるほど「ＧＤＰ（国内総生産）」が上がるため、一見すると好景気に見え、不動産バブルもけん引したが、こんな馬鹿な思想経済がいつまでも続くわけがない。

事実、今の中国の消費低迷の裏で進行するのが物価の下落現象で、２０２３年に入っても低空飛行が続き、7月にはマイナス（前年同月比０・３パーセント減）となり、ついに中国は「デフレ経済」に突入した。

輸出も低迷しつづけ、5～8月、連続して前年比割れを起こし、これまでの上海を筆頭とする「ロックダウン（都市封鎖）」の急ブレーキショックが大きすぎ、中国経済誌『財新』は、年内の債務不履行が懸念される中国不動産企業は65社にのぼると予測した。

現在、中国の不動産市場は大暴落寸前にあり、習近平に踊らされた地方政府は、これまで「ＬＧＦＶ（第三セクター企業）」に債券を発行させ、実質的な財源にしてきたため、その債務の総額が9兆ドル（約１３００兆円）に達し、この時限爆弾が爆発すれば、中国経済どころか、その規模からして欧米各国も日本も只では済まない。

習近平の最近の支離滅裂さの背後に、中国崩壊の現実があり、今の習近平は周囲の誰も信用できなくなり、暗殺を恐れるあまり、粛清に精を出していると思われる‼

超独裁監視社会の中国で弁護士、ジャーナリスト、人権活動家の逮捕が急増！　高学歴貧乏者は故郷に帰り「躺平（タンピン）（寝そべり族）」となって社会に背を向けている⁉

今や世界レベルの「超監視社会」に突入した中国。始終、人々は「中国共産党」の監視下に置かれ、監視カメラはもちろん、ＳＮＳで共産主義批判、中国共産党批判、中国政府批判、習近平批判をすれば即削除され、その書き込みを行った者は、大学教授でも歌手でも映画俳優でも即連行されて姿を消す。

中国版Ｘ（旧「Twitter」）の「Weibo／微博」は、見るだけなら安全（？）という中国巨大ＳＮＳで、「微＝ミニ」「博＝ブログ」の意味だが、２０１６年の段階で、中国政府による報道の自由の取り組みが大きく後退、人権活動家の弁護士やジャーナリストの逮捕が急増、同年2月、全ての中国メディアは中国共産党を支持せよとする習近平の達示が徹底された。

今や終身書記長となり、独裁色を強める習近平による「民営企業」の締め付けが常習化し、中国経済がどんどん閉塞化する中、ビル・ゲイツ製「新型コロナ：ＣＯＶＩＤ－19」

の蔓延で「都市封鎖（ロックダウン）」が続き、確実に中国経済が萎縮し始めると、大学卒業者の失業率が鰻上りになり、大卒の「高学歴貧乏者」が次々と生まれ、故郷に帰る若者が増大、そのまま親の元で「躺平（タンピン）」という〝寝そべり族〟になる者が激増している。

2021年4月、SNS上で「愛国無罪!!」ならぬ「寝そべり正義!!」が登場すると、一気に中国全土の若者層に浸透、「競争社会忌避」、「住宅購入否定」、「結婚否定」、「出産否定」のライフスタイルが拡大、具体的には「不買房」、「不買車」、「不談恋愛」、「不結婚」、「不生娃」、「低水平消費」で最低限の生活を維持しつつ、資本家の金儲けマシーンになることを拒否する「社会抗議運動」の側面を持つため、習近平と中国共産党の理念に反しないことで暗黙に了解されている。

この「躺平（タンピン）」を裏を返せば、インドのマハトマ・ガンジーがイギリスの「帝国主義」に反旗を翻すため、暴力ではなく〝非暴力・不服従〟を唱え、インドの独立運動を指揮したことと皮肉な関連性がある。

今、インドや中国から遠く離れた環境最先端国のノルウェーで、国際的には〝気候フレンドリー〟の印象を持たれてはいるが、世界第11位の石油輸出国で膨大な利益を得ているため、自国内は環境最先端国だが、外国を介して地球環境を破壊しているとし、市民が非暴力的手段で違反行為をする「市民的不服従」という「アクティビズム」が拡大、世界的にも環境活動家による「非暴力環境テロ」が拡大している。

２０２２年10月14日、環境活動団体「ジャスト・ストップ・オイル」を掲げるスコットランドの若者2人が、「ロンドン・ナショナル・ギャラリー」に展示されるゴッホの『ひまわり』に、トマトスープを投げつけて逮捕されたが、同様の事件が世界中の美術館で連続的に起きている。

中国の「躺平（タンピン）」にも、中国共産党への非協力正義を仕掛けている伏しも見え隠れするが、表向き欧米資本家への批判を掲げているので、引き籠りが承認されている。

が、「躺平（タンピン）」が深刻なのは、中国社会での威圧感、閉塞感による〝対人恐怖症〟が潜むことだ。

「社恐」という中国語があるが、「会社が恐い」意味ではなく、「社」は社交、「恐」は恐懼症（恐怖症）で、他人と交わるのが恐い「社交恐怖症」を指している。

日本の「引きこもり」は１１５・４万人（平成30年度調査内閣府推計）で、今は１５０万人近いとされるが、その多くが外に出られない結果、引きこもりの多くが〝非ワクチン接種者〟となり、ビル・ゲイツの「遅延死ゲノム遺伝子操作溶液」の魔手から逃れられている。

中国の宣伝部機関紙『光明日報』（２０２０年8月30日付）は、「社恐」に関するアンケート「あなたにもいわゆる『社恐』がありますか？」を若者対象に問うた結果を発表した。

●社恐はある：内心では一切の社交活動を回避している／863人
●社恐は少しある：対面での交流よりも、オンラインでの意思疎通の方が、より好きである／710人
●社恐はないが他人と交際しない：あえて気を入れて他人と交際しようとは思わない／890人
●社恐はない：自分は他人とうまく交際をしている／69人

社恐で「ある」と「少しある」を合わせると回答者全体の62パーセントに達し、他人とうまく交際しているは全体の僅か2・7パーセントだった。

元々、中国人の人間関係は、劉備玄徳（りゅうびげんとく）が諸葛孔明を訪れた「三顧（さんこ）の礼」から、「一回生、両回熟、三回成朋友」を基本に、「1回目に関係が生まれ、2回目に関係が熟し、3回目に友達になる」ことを基本とする。

ところが、習近平が中国を支配し始めると、ウイグル地区だけではなく、中国全土で独裁体制を浸透させた結果、それまでの友人が一人増えれば道が一つ開ける「多一個朋、友

多一条路」は消え失せた。台湾や日本ばかりか、フィリピン、タイ、ベトナム等を騙し討ちにしながら、領土・領海を略奪拡大する習近平による、「独裁超監視社会」の出現でそんな古き良き時代は、壊滅した!!

dystopia

14億人の中国人民VS500人の共産党幹部、習近平は毛沢東の道を驀進中!

世界トップクラスの商売上手の「華僑（かきょう）」の真逆を走るのが、経済音痴で頭でっかちの共産主義者・習近平で、中国は習近平体制になってから、「綱紀粛正」の「贅沢禁止」を求める命令が何度も発令され、まるで江戸時代の水野忠邦による「天保の改革」のようだ。

２０１３年の中国の『東洋経済』の記事には、既に「不要不急の出張も禁止された結果、一流ホテルの外食レストランなどの落ち込みは特に鮮明だ。国家旅行局が発表した第１四半期の北京や上海、江蘇、広州などでの4～5つ星クラスのホテルのレストラン売上高は前年同期比3割も落ち込んでいる」とある。

２０２１年、習近平政権は地方政府に対し、「冠婚葬祭」が豪華にならないよう村単位で定めるよう命じ、「誕生日パーティー禁止」、「新築祝い禁止」、「結婚式費用の圧縮」、「葬式の費用の圧縮」まで求め、グローバル経済で「世界の工場」となった幸運を帳消しにする、毛沢東の「文化大革命」と同じ共産主義的悪政で経済が回らなくなっていった。

14億中国人民の上に独裁者の地位に上り詰めた習近平は、己の周囲をイエスマンだけで固め、全て習近平への忖度で動く官僚主義者の「中央集権体制」が出来上がった。

まるで毛沢東のような、「暴利をむさぼる学習塾は敵である‼学習塾は受験競争を煽る無駄以外の何者でもない‼」「資本家と体制内の欲張りな走資派（資本主義化を進めようとするする勢力）の結託を許すな‼」「オンラインゲームという精神的アヘンが数千億元規模の産業に成長してしまった‼ゲームは生産性のない下らない麻薬だ‼」の習近平の文言が、インターネットや公的メディアに登場、習近平の脳内世界が外へ溢れ出した。

己の価値観しか考えない毛沢東と同じ習近平は、『毛沢東語録』のように「共産主義理念」を掲げながら、更なる監視の取り締まりを遠慮なく進めていった。

習近平が表舞台に出て来てから、まさに中国経済は最悪の選択がつづき、日常生活の無駄から「文化」が生まれるにもかかわらず、余分なぜいたく品が経済を活性化させ海外に売れることにも頭が回らない習近平は、〝アクセルを踏みながら急ブレーキを掛けろ‼〟と号令する支離滅裂さを繰り返していった。

その割には、「投資は目先の需要を生むだけでなく、成長の真の原動力となる…一に投資、二に投資、三に投資!!」と煽るが、中国で「投資主導経済」が成功したのは、殆どインフラがなかった中国に新たなインフラができた結果の経済効率性の爆上がりで、今の中国で着実なリターンのない投資は無駄になるばかりか、「高速鉄道」を２０２５年中に５万キロまで伸ばしても、乗客が殆どいない区間は数人を乗せて1日2往復しか走らない非効率さを生んでいる。

経済のイロハも現場経済も理解できない習近平は、「投資主導モデル」で突っ走る脳内暴走列車で、イエスマンで周囲を囲む〝裸の王様〟でしかなく、中国人にとってはあってはならない〝獅子身中の虫〟で、いつ反乱が起きてもおかしくない超ド級老害である。

既に中国では、上場企業の従業員数がコロナ前に比べ、平均で1割程度減る中で、上海では初任給が前年比9パーセント減、若年層の失業率が公式統計で21・3パーセント（実際は46・5パーセント）に達し、ついには発表しなくなった。

既に「デフォルト（債務不履行）」が起きているとしか思えないことも起きており、公務員に給与の遅配や削減が起きる中、上海で25パーセントの給与カットが行われ、２０２3年4～6月期の「海外直接投資」も、前年比で87・1パーセント減の中、日本などは中国が発表する〝5パーセントの経済成長〟を能天気に信じ込んでいる。

中国に進出している日本企業は、1万2706社（2022年6月）あるが、追い詰められた習近平が「台湾侵攻＋尖閣諸島侵攻」に打って出たら最後、彼らの帰国はほぼ不可能どころか、社員の拘束はもちろん、現地の妻子も只では済まない。

今だから言えるが、ビル・ゲイツが仕掛けた「新型コロナウイルス（COVID－19）」を、東京の「アメリカ大使館（極東CIA本部）」が、日本経由で武漢にばら蒔いたのは、2028年に中国がアメリカの経済力を追い抜く勢いだったからで、それを根こそぎ削ぐためだったともいえる!!

さらに言えば、中国の膨れあがった債務規模は、日本、ドイツ、フランスの国内総生産（GDP）の合計より大きく、崩壊する中国と一緒に「グレート・リセット」に邪魔な、日本、EU、ロシアも共倒れで叩き潰そうとしたのを、プーチン大統領が先手を打って「ウクライナ侵攻」（2022年2月24日）に打って出たともいえる。

中国では、事故の犠牲者数が35人を超えると、市の「党委員会書記」が更迭されるため、必ず35人以下に抑えられるというが、「経済成長率」も同じで、5パーセントにしないと株価が維持できず、「中国共産党」は中国人民から八つ裂きにされるのだ。

「14億人の中国人民」対「500人の中国共産党幹部」の構造が、習近平が支配する中国の構造である!!

Part 7

中国のディストピア！ 習近平は毛沢東の紅衛兵・文化大革命を見習って、自らを守るためだけに全中国人民を地獄に落とすつもりだ!?

もはや習近平の取る道は、「台湾侵攻＋尖閣諸島侵攻＋日本（福岡市）核攻撃」の三点セットしかなくなった!?

中国による世界を騙すテクニックは昔から見え見えで、欧米資本主義国の「グローバル資本主義」による「世界の工場」に利用されながら、工場生産を通して欧米の最先端技術をパクりつづけた。

格安誘致で釣られた日本企業の工場の金庫から設計図などを次々と盗み取り、ハニートラップで結婚させた日本人技術者からも多くの秘密情報を盗み取り、欧米の大学や企業に送り込まれた中国人留学生が、そのまま大企業に入り込んで重要機密を無数に盗み取っていった。

そうして出来上がったパクリで急成長した経済大国第2位の中国は、全ての基礎技術を発展させるより、コピーを最優先した結果、半導体製造のための製造装置を自主製造できず、日本人でさえ気づいていないが、日本のＦＡＸ機技術が最先端の軍事技術と直結しているため、中国がその基礎段階のデータを盗もうと躍起になっている。

兎にも角にも、中国共産党が欧米に追い付き追い越すには〝急成長〟が命で、そのためには基礎技術よりパクりつづけた方が早いため、全体的にバランスを欠いた〝パッチワーク中国〟が出来上がり、その急成長を世界の目から隠すため、「中国は未だ発展途上国に過ぎない!!」と主張しつづけ、その証拠に日本の「ＯＤＡ（政府開発援助）」から低金利優遇を受け続けていた。

日本の「ＯＤＡ（政府開発援助）」は、政府や企業などを合わせた発展途上国への支援額を、２０２１～２０２５年までの5年間で6・5兆円にし、さらに同5年間で最大１０0億ドルの追加支援の用意があると表明してきたが、それは本当に苦しい国を支える援助で、経済大国第2位で２０２８年にはアメリカを追い抜くと豪語するような中国に与えるものではない。

中国が未だ貧しい国と主張するのは、欧米や日本と同じ先進諸国入りしたら、様々な分担金や援助を「国連」のルールに従って行わねばならないためで、そんなことをしていたら「一帯一路」で借金漬けにして国ごと奪う中国共産党の企みを果たせなくなる。

日本の「ＯＤＡ」の中の「有償資金協力（円借款）」は、開発途上国が発展していくために必要な開発資金を貸し出すもので、途上国は後で借りた資金を返済する義務を負うが、金利は低く抑えられており、返済期間も長く設定されている。

1979年以降、日本は馬鹿正直に中国へ「円借款」を与えつづけ、中国沿海部のインフラのボトルネックの解消、環境対策、保健・医療などの基礎生活分野の改善、人材育成等の分野でODAを実施してきたが、流石に経済大国世界第2位になっても「円借款」を使いつづける図々しさに、日本を攻撃する基地や軍港の開発に利用されたことから、2018年度をもって新規採択を終了、2021年度末でようやく終了した。

一方、アメリカも2023年6月13日、「米下院」において、2023年3月27日に提出された対中法案、「The PRC Is Not a Developing Country Act」を、「中華人民共和国は発展途上国ではない」として可決、「中国は先進国である」と宣言し、それ故に「国連」で先進国と同様の規範（自由と民主主義など）を持たせることになる。

世界第2位の経済大国の中国だが、共産党一党支配による国家レベルの「詐欺」「不正会計」「粉飾決算」「隠蔽」の総合デパートと化し、既に尻に火が付いている中で欧米先進諸国と同じ責任と出費を迫られるため、習近平にとれば、中国共産党が欧米の寝首を掻いて世界を支配し、「チャイニーズスタンダード」で統一する機会を失う羽目に陥った。

何故アメリカが、2023年の今、「中国は先進国である」と宣言したかは歴然で、尻に火が付いた中国を一気に追い詰め〝窮鼠猫を噛む〟状態に持っていくためである。

もはや習近平は、14億の中国人民に殺されないためには、中国共産党の大義名分である

「台湾統一」しかなく、「台湾侵攻＋尖閣諸島侵攻＋日本（福岡市）核攻撃」の三点セットを、中国経済が崩壊する寸前に決行するしか無くなった!!

後は、ロシアのプーチン大統領に、先に戦術核兵器をウクライナに落としてもらうよう頼むしかない……ロシアのウシャコフ大統領補佐官は2023年9月7月、プーチン大統領が10月に開かれる「(第3回) 一帯一路フォーラム」に合わせ中国を訪問すると述べた。

そして、実際に二人の会談がもたれたが、そこで何が話し合われたかだが、そこで日本の運命も決まったと思われる。

dystopia 57

いかに核を使わせるか、いかに第三次世界大戦の火蓋を切るか、それこそがロスチャイルドのイギリスとロックフェラーのアメリカのユートピアへの道なのである!!

世界を2国で支配するアメリカとイギリスは、ロシアに「戦術核兵器」をウクライナに使わせるまで、西側の最先端兵器でロシアを追い込み、それを導火線に「第三次世界大戦」をヨーロッパで勃発させて、「NWO／新世界秩序（New World Orde)」の「グレート・リセット／Great Reset」に邪魔な、フランス、ドイツ、イタリアなど旧世界の国々を地図から消し去る気でいる。

ウクライナにロシアが戦術核兵器を使っても、「アメリカ議会」が「米ロ全面核戦争」を承諾するはずがない。アメリカはロシアを21世紀最大の非人道的行為と非難するだろうが、プーチン大統領も、アメリカこそ既に満身創痍だった日本に向け、人体実験を目的に2発も違うタイプの「ウラン型」と「プルトニウム型」の核兵器を使った極悪非道国家と非難するだろう。そのため中国も安心して「台湾侵攻」を開始し、と同時に「尖閣諸島」に侵攻、台湾を恐怖に堕とすため、日本の福岡市を熱核反応で蒸発させる。

同時にそれは、自衛隊の戦意を挫く意味と、日本が習近平に逆らえばさらに多くの戦術核兵器を日本の各都市に落とすと脅せば、自民党はアメリカに助けを求めるだけでギブアップすると踏んでいる。

これで、極東では日本にしか核兵器は落とされず、ヨーロッパも「第一次世界大戦」、「第二次世界大戦」、「第三次世界大戦」の戦場となり、ヨーロッパで助かるのはEUを脱退したイギリスだけとなる。

アメリカは「モンロー主義」よろしく、遠く大西洋と太平洋で隔てられた高みの見物を決め込めばよく、西から吹く「偏西風」に乗った放射能は西のイギリスに降下せず、「偏西風」はインドとパキスタンを高度に放射能汚染するため、両国ではカシミール問題と食糧汚染で未曽有の飢饉が発生、互いに核を打ち合うことになる。

日本も只では済まない、ヨーロッパとインド地区の放射能が、そのまま日本列島で渦を巻くため、日本は高度に放射能汚染されるが、アメリカへの放射能被害は太平洋とロッキー山脈でほとんどを防げるので無事で済む。

全てが終わったら、正義のアメリカが日本を亡ぼした悪の国家の中国を叩き、最後にロシアを「最終戦争（ハルマゲドン）」で叩き潰せば、世界はイギリスのロスチャイルドとアメリカのロックフェラーの「ユートピア／Utopia」が完成する!!

そのためにも、ロックフェラーの犬のバイデン大統領は、「ウクライナ疲れ」のＥＵ各国の尻をイギリスのボリス・ジョンソン（元）首相と一緒に蹴飛ばしつづけ、ウクライナの占領地をプーチンに与えると主張するトランプ大統領候補に、２０２４年の「アメリカ大統領選挙」で負けるわけにはいかないのだ。

が、アメリカは右に行っても左に行っても勝利する戦術を使うため、ＥＵを切り捨てることを公言するトランプが大統領に返り咲く方が、ロシアがＥＵを攻撃し易くなる。

ロックフェラーが支配するアメリカは、ウクライナに対し、「Ｆ－16ロッキード・ファルコン戦闘機」、最新鋭戦車ウクライナ仕様の「エイブラハム戦車」、砲弾の核兵器の「劣化ウラン弾」、殺傷者を選ばない「クラスター爆弾」、地対空ミサイル・システム「パトリオット」、ノルウェーとアメリカが共同開発した中高度防空ミサイル・システム「ナサムス」、高機動ロケット砲システム「ハイマース」等を次々に供与、ロスチャイルドのイギリスも、当初は否定していた「劣化ウラン弾」をウクライナに供与したことがBBCにより暴露され、主力戦車「チャレンジャー2」や、射程250キロの「ストームシャドウ」等を供与していく。

アメリカは既にウクライナに460億ドル（6兆8900億円）の軍事援助を行い、バイデン大統領は240億ドル（3兆6000億円）の追加予算を要請しているが、「アメリカ議会」は、予算措置期限の9月30日、急転直下のサプライズ合意で政府機関の一時閉鎖を回避したが、ウクライナ支援予算が除外されたため、バイデン大統領は別の手段でウクライナ援助を考えるとしている。

ところが、ここに来て今までウクライナ支援で優等生だったポーランドが、国内で選挙を控えているため、小麦農家を守る名目で、ウクライナ産の格安小麦の輸入を禁止した。そのためゼレンスキー大統領の怒りの暴言が炸裂、ポーランドのマテウシュ・モラヴィエツキ首相は、2023年9月20日、「今後、ウクライナに武器供与しない」と断言した。

アンジェイ・ドゥダ大統領は、「あれは最新兵器を送らない意味で、他の兵器なら送る」と火消しに必死だったが、再び極寒の冬が来たらEUは昨年の結束は保てないし、EU内の右翼台頭の風向きのため、それが現実化している。

事実、ＥＵで親ロ派のオルバーン首相が率いるハンガリーは、ウクライナ支援に非協力的だし、ＮＡＴＯ加盟国のスロバキアで行われた総選挙で、ウクライナ支援反対の親ロ政党「スメル」が勝利し、イタリアでも２０２２年の総選挙で、排外主義的な極右「イタリアの同胞（ＦＤＩ）」が第1党に躍進、ＥＵ内の足並みは確実に「ウクライナ支援」で一本化しなくなった。

この状況はロシアにとって有利で、ロシアの安価なガスを供給されていたＥU各国は、ウクライナに嫌気がさしているため、「なぜゼレンスキーの我がままを、外国の我々が聞かねばならないのか？」という国民の声を無視できなくなった。

そうなるとロスチャイルドとロックフェラーにとって打つ手は、バイデン大統領から最大射程３００キロの地対地ミサイル「ＡＴＡＣＭＳ」をウクライナに供与させ、ロスチャイルドのピエロでアシュケナジー系ユダヤのゼレンスキー大統領に、禁じ手となるモスクワをミサイル攻撃させることだ!!

そうすれば怒ったプーチン大統領は、ウクライナのキエフとオデッサを広島級核兵器で地上から消し去るのに躊躇しないだろう!!

すると、習近平も「台湾侵攻」と同時に、日本への核攻撃がやり易くなる……。

砂上の楼閣!?　習近平教祖に従うカルト国家中国の14億の民は、金儲けさせてくれなくなれば、一斉に共産党に襲いかかってくる!?

習近平政権下の中国の「隠れ負債」は、1400〜1800兆円規模の驚愕試算とされ、「地方政府」が不動産開発に過剰投資した付けが溜まりに溜まり、「中央政府」からの救済策も〝焼け石に水〟で、途方もない「金融危機」に発展するのは目前である!!

日本にいては分かりにくいが、中国では企業を含め自分の土地を持つことが出来ないため、日本のマンションや土地を買い占めている。

さらに、「地方政府」は独自で「債券」を発行することを禁じられているため、傘下の「LGFV／融資平台」と呼ばれる「投資会社」を通じて不動産開発、道路、ダムなどのインフラ整備を行ってきたが、過剰投資で不動産市況は悪化、「地方政府」の「バランスシート（貸借対照表）」に出てこない債務が膨大に膨らんでいる。

「IMF（国際通貨基金）」は、融資平台の負債総額を66兆人民元（約1320兆円）と推計、イギリス紙「フィナンシャル・タイムズ」は、融資平台を含む「地方政府」の負債総額を94兆人民元（約1880兆円）と報じたが、2022年の中国の「GDP（国内総生産）」の121兆人民元（約2420兆円）の8割近くに相当する。

「地方債務問題」は、専門家の間で前々から指摘されていたが、投資が全ての経済音痴と化した習近平は何一つ対策を講じてこなかった様は、『毛沢東語録』さえ振りかざせば、全ての問題は解決すると言わんばかりの経済音痴ぶりだった。

おそらく今まで通り、「粉飾決算」をやれば上手くいくと信じ切っていたのかもしれないが、とうとう「不動産関連企業」「投資会社」の経営危機が表面化し、「地方政府」の〝デフォルト（債務不履行）〟も「地方銀行」などの〝融資焦げ付き〟を通じて発覚、一気に「金融危機」に発展するリスクが表面化した。

「中国政府」は救済策として、「地方政府」に債券発行を通じて約1兆元（20兆円）を調達することを認めたが、一部の「LGFV（融資平台）」は7～10パーセントの高金利を支払っていて、金利3パーセント程度の債券に借り換えて負担を軽減できるはいえ、負債総額の規模からは焼け石に水である。

中国がデフォルト（債務不履行）に陥り、世界第2位の経済大国が「金融危機」に落ちれば、中国に首までドップリ浸かる日本経済への影響は避けられない。

そんな中、習近平が発布したのは、まるで『毛沢東語録』ともいえる支離滅裂の〝大宣言〟だった……。

中国政治は、一党独裁の「中国共産党大会」が開かれる5年周期で回っているが、その「共産党大会」の中核が、９６７１万共産党員（２０２１年末現在）のトップとなる〝総書記の選出〟だった。

総書記の任期に党規約の規定はなかったが、「2期10年」という不文律があった。

事実、「革命第三世代」の江沢民（こうたくみん）総書記は２００２年の第16回共産党大会で「革命第四世代」の胡錦濤（こきんとう）総書記に譲り、胡錦濤総書記は２０１２年の第18回共産党大会で、「革命第五世代」の習近平総書記に譲っていた。

ところが習近平は、後身の「革命第六世代」に道を譲りたくなく、権力の座にしがみついた毛沢東のように、半永久政権を築きたいと考え、それを成し遂げてしまったのである。

２０２１年7月1日、「中国共産党」が創建１００周年を迎えた時、習近平は「第一の百年」（１９２１年7月〜２０２１年7月）を毛沢東主席が創ったが、「第二の百年」（２０２１年7月〜）は、自分が創るとし、その〝アジアの形〟は、１８４０年の「アヘン戦争」、１８９４年の「日清戦争」を無かったことにする大宣言だった。

この狂気の考え方は、「アヘン戦争」「日清戦争」が無かったら、中国は「南シナ海」「東シナ海」も手に入れていたはずで、「台湾」も当然中国領にしていたはずなので、台湾を統一するという狂気の脳内歴史が出来上がり、当然、尖閣諸島も琉球諸島も中国の支配下になっていたはずなので、〝中国に返せ〟となる‼

その習近平の〝脳内歴史〟を、「中国共産党」「中国人民解放軍」も同様に思い込んでいるのは〝狂人国家〟というしかなく、まさに今の中国は習近平教祖に従う〝カルト国家〟と思えば理解しやすい‼

が、これが14億の中国人民も同じというのは違い、殆どの中国人は株で儲けさせてくれる間は「中国共産党」を支持するが、一旦、損をさせたら最後、14億が一斉に襲い掛かって来る〝砂上の楼閣〟なのである‼

一見、屈強な「共産主義国家体制」に見える中国は、あくまでも金儲けさせてくれてなんぼの国家で、金を儲けさせてくれる間は「共産党」でもいいという国なのだ。

だから中国経済は、たとえ崩壊しても必ず5パーセントの経済成長がお約束となり、カルトというしか説明できない恐ろしい妄想に囚われているのである。

dystopia

カルトチャイナは末路を辿る!?　中国経済を支えた先進企業とそのトップ、世界に羽ばたいたアーティスト、文化人が次々と舞台から消されている……

権力の権化と化した毛沢東に並ぶ習近平は、ある日突然、降って湧いたような「共同富裕」を宣言、その意味を知る高所得者層は、それを死刑宣告と受け取ったはずである!!

それでも習近平支持を表明したのは、香港のカンフースターのジャッキー・チェンで、この男の生き方は映画とは真逆の、寄らば大樹、常に太い物には巻かれろである。

現実的にこれは『毛沢東語録』と同じで、14億の中国人民の矛盾に対する怒りを富裕層に向けさせ、「共同富裕」の美名で、習近平をさらに高みに上げるための手口である。

この「共同富裕」の言葉の裏にあるのは、1985年頃、「中国共産党」の中央顧問委員会主任だった鄧小平（トウ・ショウヘイ）が唱えた改革開放の基本原則の「先富論（せんぷろん）」で、世界的グローバル経済の波の中で「世界の工場」として巨大化する中国を指す、「我們的政策是譲一部分人一部分地区先富起来」、つまり「我々の政策は、先に豊かになれる者から富めばよい」である。

結果、ロスチャイルドのイギリスのサッチャー首相が「新自由主義」で国営を全て民営化し、ロックフェラーの犬だったアメリカのレーガン大統領が始めた「グローバル資本主義」により、国に属さないでも済む「スターバックス」はもちろん、SNSで世界を支配すれば、トランプ大統領も追放できる「GAFAM（Google・Amazon・Facebook(meta)・Apple・Microsoft)」を次々と生み出し、中国も通信機器大手メーカー「HUAWEI」や、大手IT企業「アリババ」「テンセント」を筆頭に、芸能界ではトップスターが、スポーツ界ではプロサッカー選手が、ピアニストなどの芸術家も次々と世界を相手に羽ばたいていった。

それらの中で、習近平が宣言した「共同富裕」が、鄧小平の唱えた「先富論」の後半部分、「以帯動和帮助落伍的地区　先進地区帮助落伍地区是一個義務」、つまり「落伍した者たちを助けること、富裕層が貧困層を援助することを一つの義務とする」を踏襲していることだった。

それを世界とつながるIT長者らが恐れ慄いたのは、これが鄧小平ではなく習近平だったことで、自ら第2の毛沢東を掲げる以上、それがソフトランディングには遠く及ばないハードランディング、つまり「文化大革命」の地獄が再び始まる宣言に聞こえたからだ。

案の定、国際社会と対等、あるいは上回るビジネスセンスを持ち、世界最大の流通総額のeコマース事業を展開した「アリババ」の馬雲（マー・ユン）は、経済センスゼロの習近平と激しく対立、事業分野別に6社に分社化されたばかりか、表裏一体の「アリペイ」など金融事業の「アントグループ」も「中国共産党」が支配、それまで中国企業を広く支えたプラットホームは、第3期目に突入した習近平によって無残に解体されてしまった。

トップ映画スターで歌手だった呉亦凡（ウー・イーファン）、ショパンコンクール優勝者のピアニストの李雲迪（ユンディ・リ）、ナンバー1インフルエンサーの薇娅（ウエイヤー）らが次々と拘束され、表舞台から消えて失脚させられていき、サッカー選手の年俸が大幅に引き下げられ、Jリーグの中国版であるCリーグは崩壊の危機に瀕している。

「TikTok／抖音」も例外ではなく、習近平に逆らう創業者の張一鳴（チャン・イーミン）会長が退任させられ、最も抵抗した配車アプリの最大手の「ディディ（滴滴出行／ディディチューシン）」は、ニューヨーク証券取引所から撤退させられた挙句、80億2600万元（1600億円）もの罰金を「中国共産党政府」に払わされた。

柔軟な経営センスが要求される国際社会相手に闘う中国の大手IT企業に、経済音痴の習近平が「共産党組織」を派遣したため、中国は大崩壊に突き進む時限爆弾と化している!!

まるで「共産主義」でのし上がった毛沢東の再来で、事実、毛沢東は最初は共産主義者ではなく、途中から旧ソ連のスターリンのやり口の方が出世が早いと踏み、共産主義に乗り換えただけの下種（げす）だった。

その毛沢東の再来の習近平による「共同富裕」は、当然、鄧小平（トウ・ショウヘイ）が唱えた「先富論」とは違う「先富論」と化し、「第20回共産党大会」が近づくと、富裕層の間で〝翡翠（ヒスイ）〟を胸に着けることが密かに流行する。

翡（ひ）は「習に非ず」、翠（すい）は「習が卒する（殺される）」を意味する呪いで、それが徐々に習近平を苦しめ始め、今や自分の周囲を絶えず入れ替える「疑心暗鬼」と「支離滅裂」に陥っている!!

こんな歴史的妄想癖の狂人が君臨する「カルト・チャイナ」に、中国に進出した日本企業は、習近平が脳内炸裂するまで、自分の妻子や社員を資産と一緒に置いておくつもりなのだろうか？

言葉を換えれば、紅衛兵が欧米に出兵し、そこで中国の文化大革命をやろうとしているのが習近平といえる。

dystopia

破竹の勢いだった「中国製ＥＶ車」は、大洪水被害もあり今や大廃棄！打つ手が次々と消えるカルトチャイナ!!

今や習近平は、「共産主義カルト」の権化と化し、14億の中国人民を己の権力維持のために監視下に置き、勝手な脳内歴史を創り上げ、アジアから世界までが中国の支配下に置かれていたはずという妄想に憑りつかれている。

そんな男に神が味方するはずはなく、２０２３年、８月の中国株１４９億ドルが売り越され、港に停泊している段階で沈没する船から鼠が逃げ出すように、中国から巨額の資金流出が止まらなくなっている!!

アメリカのコンサルティング「ロジウム・グループ」の「ブルームバーグ」（２０２３年９月７日付）によると、中国の対米直接投資取引額（完了分）は、既に体力の限界を超えたのか、２０２２年の24億９０００万ドルにとどまり、２０１８年以降で最も少なくなっている。

習近平は自分の周りにイエスマンだけを置き、国際金融に精通した改革派の高官などは一人もいない状態で、裸の王様と化した習近平は、経済音痴よろしく支離滅裂な命令を次々に出しているため、中国は無能な操縦士によって「ダッチロール状態」に陥ってしまった。

ダッチロールとは、飛行中の旅客機が不安定になり、横揺れを起こしながら八の字蛇行する現象をいい、墜落寸前の最悪の状態をいう。

１９２１年、共産主義を掲げたレーニンは、新経済政策「ＮＥＰ（ネップ）」を打ち上げ、経済危機を脱するには一時的に「資本主義」を受け入れ、政治と文化面は別として、共産党政権の政治的維持を最重要課題とした……が、習近平の「中国版ＮＥＰ」は、日本経済を参考に大成功を収めた成功体験に固執しながら、共産主義の原則だけを固守していくのである。

そして今や大きく傾き始めた中国経済を立て直そうと、習近平が短絡的に起死回生の一発で打ち上げたのが「中国製ＥＶ車」で、中国経済の失速が止まらない今、唯一、絶好調なのが、少ない部品とリチウム電池があれば造れる「ＥＶ（電気自動車）」である。

バブルが崩壊した不動産市場と、輸出の鈍化が止まらない中国で、唯一気を吐いているのが「中国製ＥＶ車」で、２０２３年9月11日、「中国自動車工業協会」が発表した「８月期新車販売台数」は、前年比８・４パーセント増の２５８万２０００台だった。

その要因は、「自動車取得税」を減免する低価格さと、環境にやさしいエコロジーが後押しした。しかしロシアによる「ウクライナ侵攻」（2022年2月24日）で反プーチンを掲げるEU各国が、バイデン大統領による欧米の経済制裁でプーチン大統領はスグに音を上げるという言葉に騙され、安価だったロシアの天然ガスを放棄、結果として電力不足と電気代の高騰を招き、「EV（電気自動車）」の未来に急ブレーキがかかった。

さらに、中国各地で発生した「大豪雨災害」で、習近平の脳内で創り上げた新都市周辺一帯が水没、EV車の水没被害も続出して「EVの大量廃棄」が起きている。

アメリカでは、2024年の大統領選挙に出馬予定の共和党のトランプ（前）大統領は、民主党の電気自動車（EV）普及策の「EV奨励策」を全て破棄し、「パリ協定」の地球温暖化を嘘とし、アメリカの自動車業界をガソリン車に戻すと宣言、イギリスのリシ・スナク首相も、2023年9月20日、ガソリンとディーゼルを動力源とする「ICE（内燃機関車）」の新車販売禁止を、2030年から5年遅らせて2035年にすると発表、中国の命綱だったEV拡大の流れに急ブレーキがかかり始めた。

その中国では習近平による政府高官の更迭が相次ぎ、中国政治の不透明性さが際立つ中、中国政府は「中国への投資は安全だ!!」と説明、日本までやって来て投資を呼び掛けるが、海外マネーの中国逃避の動きは加速する一方である。

泣きっ面に蜂なのが、中国各地で発生した大規模洪水で、河北省石家荘市の高速道路の悲惨な有様や、浙江省杭州の寺院から膨大な数の新車同然の「EV車」がゴミの中に放置される様子が世界中に流れるに及び、世界では〝EVの墓場〟のイメージが焼き付いた。

経済音痴の習近平による、中国経済起死回生の「EV車国家計画」だったが、そもそもEV車は、部品が少ないとはいえ、「バッテリー」「電気モーター」などの費用が全体の60パーセント以上を占めるため、水没した場合は分解掃除ができない上、ガソリン車より修理費用がコスト高になる。

エコロジーを追い風に「中国製EV車」を世界中に売りたい中国は、膨大な数に及ぶ水没EV車の欠陥を思い知らされることになった。そもそも「EV」は生産時に「温暖化効果ガス」を大量に排出する工程を踏むことから、すぐに廃棄された場合、気候変動対策としてのメリットが消滅、交換するバッテリーに含まれる「ニッケル」「リチウム」「コバルト」等の希少金属は、正しいリサイクル・システムを持つ日本レベルの国でなければ資源の無駄遣いになる。

さらに、大規模洪水により、EV車向け「車両保険」の支払いが殺到した結果、保険価格のつり上げが確実となり、海外では「急速充電装置」の設置が「新型コロナ」と「ウクライナ侵攻」で未だ全面普及に至っていない。

今や、世界市場を席巻するかと思われた「中国製ＥＶ」だが、瀕死の中国経済の救世主になることは二度とない。

アメリカの「全米経済研究所」は、重いリチウム電池を積む「ＥＶ車」の重量が４５０キロ増えれば、追突事故の際に死亡する確率が47パーセント高まると発表、イギリス議会関係者の間で、「中国製ＥＶがイギリス国内における中国のスパイ活動を容易にする!!」という懸念が発表された。

中国製の「スマホ」や「ＨＵＡＷＥＩ」と同じ懸念が「中国製ＥＶ車」にもあり、中国共産党が大量の情報を収集する手段になる危険性があるため、２０２３年9月13日、競争原理を無視する「中国製ＥＶ車」に対する関税導入の検討を開始、一時は絶好調だった輸出に大ブレーキがかかり、今や大量生産体制で造り過ぎた「ＥＶ車」が並ぶゴーストタウンの「鬼城」ならぬ「鬼車」になりつつある。

イギリスの「ロイター」（2023年9月10日付）は、「中国の自動車労働者を襲う賃下げ、需要減、値下げの悪循環」の記事を報じ、中国政府の多額援助が引き起こした過剰生産能が災いし、中国では「ＥＶ」の価格競争で安売り合戦が起き、自動車メーカーは非情のコスト削減を迫られていると報じた。

結果、３０００万人もの自動車産業労働者と、10万社を超える自動車部品メーカーに深刻な打撃が及び、鳴り物入りの「中国製EV車」の未来は、ビッグデータとマーケットリサーチの意味が分からない裸の王様、習近平の鶴の一声で始まった大暴走劇でお先真っ暗となった。

dystopia

内部崩壊の兆しばかり⁉ 世界を危険に晒す！ 嘘をついて押し切るカルト信者習近平の異常きわまりない脳内構造‼

アメリカとイギリスは、ロシアのプーチン大統領と中国の習近平を「歴史を逆行させようとしている!!」と警告するが、流石にプーチン大統領は習近平のそれとは違うようだ。

プーチン大統領が怒っているのは、1990年8月31日、ゴルバチョフ旧ソ連最高会議議長が東ベルリンで東西ドイツの統一条約に調印し、1990年9月24日、東ドイツがワルシャワ条約機構から脱退した時、レーガン大統領、ブッシュ大統領との約束だったNATOの東進は行わないとする約束が反故にされたことだ。

1991年12月、旧ソ連崩壊後、アメリカはCIAを「ワルシャワ条約機構」の国々へ送り込み、火事場泥棒のように西側陣営を取り込み始め、ついにロシアとの緩衝地帯だったウクライナにもCIAが入り込んだ知能犯ぶりにプーチン大統領が反発、不凍港のセバストポリをNATOに奪われる前に、2014年2月27日、プーチン大統領の命令でロシア軍がクリミアへ侵攻して併合、2022年2月24日にウクライナに侵攻したのである。

プーチン大統領の「ロマノフ王朝復活」は、「大ロシア復活」の意味で、トランプ（前）大統領の「アメリカ・ファースト（アメリカ第一主義）」と大同小異である。

一方、中国の習近平は論理で推し進めるプーチン大統領と全く違い、中国を「アヘン戦争」（1840年から2年間）と「日清戦争」（1894〜95年）が起きていない時代から始める、という己の脳内歴史具現化の毛沢東顔負けの共産主義思想を企てる、狂気の「共産カルト教祖」である。

「アヘン戦争」でイギリスに香港島が割譲されたことによる、香港の「一国二制度」を換骨奪胎させ、「グレーターベイエリア」である広東省・香港・マカオの一体化で、完全吸収する時期を早めるだろう。

「台湾」に対する習近平の脳内も、「日清戦争」で「台湾」を日本に奪われたため、現在まで統一できない理由とするが、過去の歴史上「台湾」が中国領だった記録はどこにもない。

日本の敗戦後、大陸で勢力争いをしていた蔣介石の「国民党軍」が、毛沢東の「共産党軍（人民解放軍）」に敗れ、台湾に逃亡しただけである。

２０２３年10月3日、イギリスの「デイリー・メール」紙が、イギリス情報当局の機密文書を入手、8月12日に黄海で任務中だった中国の攻撃型原潜に事故が起き、士官22名、士官候補生7名、下士官9名、船員17名の乗員55名全員が死亡、艦長の薛永鵬大佐も死亡したと報道した。

同潜水艦は、米英豪など西側の原子力潜水艦を罠に嵌めるために敷設していたチェーンやアンカーなどの障害物に接触した直後、システムエラーを起こしたという。

イギリス情報当局者は、イギリス海軍はこのような状況でも、二酸化炭素を吸収して酸素を生成するキットを保有しているが、中国にはこのような種類の技術がない可能性が高いと述べた。

8月22日、海軍専門メディア「Naval News」の潜水艦専門家H・I・サットンも、未確認とはいえ「中国海軍の『０９３型上級原子力潜水艦（商級）』が、台湾海峡付近で深刻な事故に遭遇した情報がある」と、多少の位置は違うが発言していた。

「０９３型潜水艦」は全長１０７メートルの近代的潜水艦の一つで、轟音が多い中国の潜水艦の中ではエンジン音が低いことで知られる。

その時の中国は「根も葉もない噂」と取り合わなかったが、山東省沖の黄海国防関連の情報に基づくイギリスの報告書は、高い等級に分類されていたため、信憑性は高いものの、中国は「完全に虚偽」と一蹴し、イギリス海軍も正式なコメントは出していない。

が、万が一放射能漏れが起きている場合、何故あれほど執拗に日本の福一原発の処理水に拘るかが見えて来る……中国近海から海岸線に流れ着く放射能汚染された魚介類が発見された場合、全て日本の仕業にして誤魔化せるからである。

中国側は「事故など起きていない」と「放射能漏れ説」を否定しても疑惑は消えず、未確認情報ながらアメリカ軍は核偵察機の「WC－135W」を南海に派遣して観測をさせたとされる。

一方、福一の処理水を「IAEA（国際原子力機関）」を含む世界中が納得した数値と肯定的にも拘らず、中国政府だけが異常なまでに「汚染水」の誹謗中傷をやめず、自国の原発の汚染水を棚に上げた暴言に世界中が眉をしかめても一切関係ないのは、噂の事故を起こした中国原潜から流れ出る高濃度放射能が事実だからだ。

そんな中で、中国の「国慶節」（2023年10月）の大連休が始まり、中国政府は「日本への観光は激減するだろう!!」と言った通り、確かに日本行きのツアー客は、中国政府の命令を受けた旅行会社の自粛で大激減したが、逆に個人客が半端なく大激増したのだ。

が、中国政府は、通常のビジネス客が相当（？）混じっており、日本のマスコミが情報を大袈裟に操作していると反発、今も出鱈目を並べるのを止めないのは、やはり原潜事故が相当深刻な事態になっているのだろう。

どちらにせよ、嘘を言って押し切れば歴史は戻るカルト教祖の習近平は、支離滅裂さも加速しており、いつ脳内から堰を切って「台湾統一」の妄想が溢れ出すかも知れず、非常に危険な状態に入っていることは確かだろう。

毛沢東の「紅衛兵」の復活か⁉　習近平は自らを守る「人民武装部」を設立！　人民による密告＆相互監視システムで新たな「文化大革命」を目指すつもりだ⁉

経済音痴の習近平は、同じ経済音痴だった毛沢東が、妄想で書き上げた『毛沢東語録』と紅衛兵を使い、中国文化を破壊する「文化大革命」で権力を復活させたと、全く同じ事をステレオタイプよろしく仕出かし始めた。

2023年9月28日、「上海城投（都市建設投資）集団」が集団内で「人民武装部」を設立、習近平政府直轄の官営投資機構として各都市部の不動産投資を主導するとした。

そもそも共産主義者が資本主義を回すこと自体が矛盾で、ガチガチの官僚主義組織がマーケットリサーチしたり、柔軟に生産を拡大し、営業を掛けることなど不可能で、それを武装した連中が主導するなど愚の骨頂というしかない。

当初は、「人民武装部」の設立は、不動産バブルの崩壊に伴う債権取立て騒乱と暴動に対処するための必要措置と考えられたが、不動産と無関係の多くの国有企業でも「人民武装部」の設立が相次いでいるのは尋常ではない。

まるで、毛沢東の言いなりになる武装集団・紅衛兵と同様に、今度は習近平が中国全土に自分の民兵集団を「人民武装部」の名で次々に設立しているとしか思えない。

２０２２年、全国の大学、政府機関で「人民武装部」の設立が始まり、寧夏自治区では「北方民族大学」「寧夏大学」で人民武装部が設立、同年11月、福建省長汀県で政府運営長汀開発区で「人民武装部」が設立、２０２３年４月、広東省東莞市で東莞交投集団・東莞能源（エネルギー）集団など４つの国有企業で人民武装部が設立、５月、貴州省興義県供電局で人民武装部が設立、内モンゴルで乳業を展開する蒙牛集団で人民武装部が設立、８月、武漢農業集団で人民武装部を設立と加速度が上がっている。

この習近平政権の狙いは一つしかない、習近平を崇拝し、共産主義の為なら命さえ捨てる「近代紅衛兵」の復活で、絶え間ない「人民戦争」を生き抜く「国民皆兵」の理念で、人々を「地方党組織」「人民解放軍」の二重監視下で「民兵」の組織化を狙い、習近平に逆らう者らを根こそぎ打ち倒す為だ。

さらに、人民武装部の二大任務は「対外戦争における民兵の動員」「実戦参戦＆対内鎮圧」で、1976年4月に起きた「第一次天安門事件」の時、北京の各国営大企業所属の「工人民兵（労働者民兵）」の約1万人が動員され、抗議活動参加の民衆に対して血の鎮圧を実施したことで分かるように、「民兵」は対外戦争ではなく国内鎮圧用である。

1980年以降、農民民兵は解散され、国営企業の改革（株式化・市場化）に伴って企業における人民武装部と労働者民兵は解散、県・行政府の人民武装部の民兵組織は事実上消滅、そこで起きたのが1989年6月の「第二次天安門事件」で、血の鎮圧に動員されたのが人民解放軍部隊の正規軍で、国内鎮圧にも解放軍が必要となった。

そこで、習近平への公然とした批判や非難が「ゼロコロナ政策」への反発で爆発したことで、再び習近平は自分の身を守る全国組織「武装民兵」を作り始めたということになる。

なぜなら国内鎮圧の「武装警察部隊」はすでに存在し機能しているからで、それ以外に武装民兵が働く場所は習近平の身の安全を第一にする全国組織「紅衛兵」の復活である。

つまり、武装警察の対応能力を超えた全国規模の大動乱の発生を叩き潰す「武装民兵」の存在が不可欠で、中国経済崩壊が確実な今、大都市圏でリストラが横行、若者の成り手は大卒の半数近くが無職なので掃いて捨てるほどいることになる。

つまり、中国がもうスグ「国内大暴動&大動乱」に突入することが明々白々で、その上、全ての矛盾を『毛沢東語録』ならぬ、「共産主義的楓橋経験」で押し切るつもりだ。

「楓橋鎮」とは、一般住民が「革命群衆」として動員、「革命群衆」が主体となって公安と連携する形で、管内で「階級闘争」「文化大革命」ならぬ「階級の敵（悪党）」を監視し、逆らえば連行して治安と秩序を維持させるのである。

既にこの「楓橋経験」は、1963年、毛沢東主導の中で成功した経験例として中央に報告されたため、同年11月、毛沢東は、全国でそれを習い広げるよう指示し、それが「6億総警察」の恐怖社会を形成していった。

要は、「人民による密告&相互監視システム」で、2年半後の1966年5月に紅衛兵を中心とする「文化大革命」が起き、「楓橋経験」は「大粛清運動」の準備の一環と分かる。

10年間にわたる「文化大革命」で、1億の人々が政治的迫害を受け、数千万人が殺され、自殺に追い込まれて命を失ったが、それは公安警察でもなければ、何らかの粛清専門機関でもない。

1億の人々への政治的迫害と殺戮を実行したのは、普通の若者からなる「紅衛兵」という普通の群衆で、一般の労働者・農民・市民たちであり、「愛国無罪」を掲げ発狂したように人民狩りを遂行していった。

「楓橋経験」を毛沢東が掲げ、全国的実践を提唱してから全国の「革命群衆」が訓練され鍛えられた後、毛沢東を崇拝する紅衛兵が「文化大革命」を発動させ、毛沢東の権力を維持させる目的で、中国全土を地獄へと落としたのである。

おそらく、心ある軍人は習近平を何とかしなければ、中国人民に想像を絶する悲惨な状況が訪れることを懸念し、習近平暗殺の予言を利用すると思われる。

Part 8

ここがポイント！
ディストピアの舞台操置イスラエルとヤ・ウマト（＝大和民族）の不即不離な関係！

dystopia 63

ハマスの攻撃をCIAとモサドがキャッチしていないわけがない！ やらせの自作自演、いつものやり口だったのか⁉

２０２３年10月7日、ガザのパレスチナ自治区から、３８００発（一説では５０００発）ものロケット弾がイスラエル領内目掛けて発射され、世界一と言われるイスラエルの地対空防空システムを数で凌駕（りょうが）、それに乗じてハマスの兵士ら１０００人が8メートルの壁をあっさり突破した。

船舶、パラグライダー、オートバイ、ドローン、車、徒歩、武器を使用したハマスの兵士が、次々と「ＭＤＬ／軍事境界線」を突破、15地点で国境を越えイスラエルに侵入した。綿密に計算された作戦通り、監視塔をドローンで破壊した後、イスラエルの壁とフェンスの各所を爆破、数分で多くのハマスの兵士がブルドーザー、4輪車、ピックアップトラック、オートバイで通過、イスラエル領内の22カ所を次々と襲った。

攻撃当日、イスラエル政府は、ハマスによって少なくとも１０００人以上が死亡と発表、その多くが自宅、路上、ダンスフェスティバルで銃殺された一般市民とし、外国人も射殺されたり人質として連れていかれたとする。

10月11日未明、双方で明らかになった死者数は２１００人を超え、以降、ヒズボラが加われば、その戦闘でさらに死者数は増えると思われた。

この突然のハマスのイスラエル攻撃で、それまで国際ニュースのＴＯＰを飾って来たウクライナでの戦闘はどこかへ消えてしまい、注目をハマスに奪われたゼレンスキー大統領は、ウクライナ支援に陰りが見え始めた今、内心、苦々しく思っていた筈だ。

２０２２年に始まったロシアによる「ウクライナ侵攻」で明らかになったのは、戦場における「ドローン（無人機）」の重要性だったが、実はそれ以前に、２０２０年の「ナゴルノ・カラバフ紛争」で、アゼルバイジャン軍がアルメニア軍を「自爆型ドローン」で圧倒しており、ロシア軍のレーダー網（旧式）を簡単に潜り抜けていた出来事があった。

次に、世界最大とも言われたイスラエルの鉄壁の防空システム「アイアン・ドーム／Iron Dome」が、ハマスによる３８００～５０００発のロケット弾で簡単に突破されたことは、数が質を凌駕する「ランチェスター戦略」による「飽和攻撃」を改めて思い知らされたことになる。

実は、今回のハマスの攻撃がとんでもない数というが、２００６年の「レバノン侵攻」でイスラエルは北部にロケット弾４０００発が打ち込まれており、２０００年、２００８

年にも、ガザ地区から迫撃砲弾とロケット弾各４０００発が撃ち込まれ、２００６年のイスラエル北部へのロケット弾攻撃では、市民33人以上が死亡、軍人も犠牲になっている。
そこでイスラエルは、２００8年から「アイアン・ドーム」を配備し、年々、その迎撃能力を向上させてきたはずだったが、その状況が全く変わらないことが証明されてしまった。

これにより、ウクライナに幾ら高価で高性能の迎撃ミサイルを欧米が供与しても、ロシア軍が北朝鮮製のミサイル、ロケット弾、自爆ドローン数千発をキエフとオデッサに一斉に撃ち込んだら、その破壊は凄まじい規模になることが証明されたことになる。

世界にショックを与えたのは、世界最大といわれたイスラエルの諜報機関「モサド」の信じられないドジで、壁を越えてイスラエル領内に侵攻するハマスの計画（訓練を含め）を全くキャッチできなかったことである。

ここまでは一般的なＮＥＷＳでも解説されることだが、その「モサド」の背後には、アメリカの「ＣＩＡ」と一部「ＮＳＡ」もいることを忘れてはならない。

今回の越境したハマスと、支援するヒズボラの動きを、「モサド」が承知の上でイスラエル領内を攻撃させたとしたら、いや、むしろそっちの方が、「モサド」と「ＣＩＡ」が狙っていた節さえある。

このパターンは、安息日に日本軍をハワイの真珠湾に突っ込ませたアメリカと同じ手口で、今回のハマスの攻撃にも垣間見えるのである。

ではイスラエルにどんなメリットがあって、ネタニヤフ政権がそんな真似を許したのかは歴然で、超極右連立政権が狙うのは有無を言わさぬパレスチナ人の追放、ガザ地区編入、そして「第三神殿」建設で、それには「嘆きの壁」の上に立つイスラムの「黄金のドーム」を合法的理由で破壊する必要がある‼

その合法的理由が「直下型巨大地震」だろうが、ハマスとヒズボラがイランの支援でさらに暴走するという大義名分が不可欠で、イスラエルと国際社会を敵に回す惨劇に拍車をかけさせればいい理屈になる。

イスラエルは黄金のドームを破壊した後、そこに「第三神殿」を建てる大義名分の導火線を必要としていたからで、ウクライナと同じ状況を作ってアメリカを巻き込めば、「第三次世界大戦」のドサクサに乗じて、既にブロック別に完成している「第三神殿」をたった3日で建てることができる‼

dystopia

飛鳥昭雄（著者）がイスラエル訪問でキャッチした第三神殿建設の秘密とは⁉

2006年3月、飛鳥昭雄は「ムー」（当時は学研）の取材でイスラエルにいた。

その頃、ガザ地区は2005年8～9月にかけ、イスラエルのアリエル・シャロン首相とパレスチナ自治政府ファタハとの合意に基づき、停戦を条件にユダヤ人入植地撤廃と軍の撤収が行われた。2006年1月の「パレスチナ選挙」で、イスラエル破壊を唱える強硬派「ハマス」が政権を獲得した2カ月後のことだった。

世間的には危険なので中止の声もあったが、当時のハマスは国際的に「正当な政権」と認めて貰うため、テロ行為は控えるだろうとイスラエル行きを強行した。

2006年3月9日、テルアビブ近郊の「ベン・グリオン国際空港」に降り立ったが、空港職員がイスラエル兵で占められていたためか、学研のカメラマンが、シリアへの渡航歴があったために拘束されるアクシデントが発生した。

「ベン・グリオン国際空港」は、1972年5月30日に、3人の日本赤軍が26人の民間人を殺害、80人に重軽傷を負わせる無差別テロを起こした場所で、当時の「(旧) ロッド国際空港」を、日本の資金で建て直した大型空港だった。

カメラマンは何とか釈放されたが、3月14日、8メートルのコンクリート壁を越えた「ヨルダン川西岸地区」に入り、イエス・キリスト生誕の地「ベツレヘム」を取材した時、パレスチナ人が多い地区を通るため、タクシーが物凄い速度で裏道を突っ切るのには驚いた。

「ガザ」から離れた別の「パレスチナ自治区」にあるベツレヘムは、イエス・キリストと関わる「ミルクグロット」と「生誕（降誕）教会」があり、世界中から信者が集まって来る。

前者は乳白色の建物のカトリック教会で、ヘロデ王の目を逃れエジプトに逃れる前に滞在した処とされ、5世紀頃は「ビザンティン教会（ギリシャ正教エルサレム総主教区）」が置かれていた。

後者はメシアが生誕した洞窟の上に建つ教会とされ、カトリック（フランシスコ会）教会、東方正教会、アルメニア使徒教会が区分所有する世界でも稀な処である。

ハマス政権の「ガザ地区」からテルアビブが攻撃されたのは、筆者が「ベン・グリオン国際空港」を出発した翌日のことで、ギリギリセーフの隙間を縫った取材だったが、「失われたイスラエル10支族」を世界中で捜すイスラエル政府組織「アミシャーブ」の（元）責任者のアビハイル翁との面談も行った。

アビハイル翁の自宅で聞いたのは、ユダヤ教徒にとっての救世主とは、イスラエルを承認する人間のことを指し、決して天から降臨する神ではないという言葉だった。

が、『新約聖書』を信じないユダヤ教徒にとれば、『旧約聖書』と「タルムード」だけなので、イスラエルを守る救世主はアメリカの大統領か元大統領となる。

それはそれとして、「第三神殿」はブロック別に既に完成しており、近くの空軍基地の地下に保管されたまま、建設のゴーサインを待つだけということと、レガシーを超えるレガリアである「ユダヤの三種の神器」と「箱」も既に完成しているということだった。

『旧約聖書』にはレガリアの説明文があるので、参考にしながら製作したというが、モーセの時代の本物ではなくレプリカのため、筆者は「本物が日本にある」とアビハイル翁に教え、担当編集者が「お神輿のプラモデル」を進呈、当初、アビハイル翁は筆者の話を小馬鹿にしていた。

ところが、同じ2006年秋、突然、アビハイル翁が義理の息子を連れて渡日、当時、イスラエルと日本の窓口だった久保有政氏を介して「諏訪大社」等を独自調査することになる。

それを聞きつけたみのもんたの『新説⁉　みのもんたの日本ミステリー！　〜失われた真実に迫る〜』(テレビ東京)が、TV界では絶対タブーだった「日ユ同祖論」を徹底的に取り上げることになる。

当時、みのもんたは『朝ズバッ！』で「反原発」を掲げていたため、ユダヤ問題探求と一緒に「CIA」の罠にかかり、「セクハラ」で干されてしまうが、2011年3月11日、「東日本大震災」が発生、「福一」のメルトダウンが起きてしまう。

来日を繰り返すアビハイル翁と一緒に、東京都千代田区二番町にある「イスラエル大使館」で、エリ・コーヘン(当時)駐日大使と面会、「伊勢神宮」についての情報を伝える。

その前に、渋谷の某所で飛鳥昭雄が秘密裏に所有する「第三神殿」の設計図を見せると、どうしてお前がコレを持っているんだ驚いたようだが、それはキューブ状の立方体構造だが、1カ所だけ小さな階段の向きが違っていただけで、それを指摘してくれた。

既にアビハイル翁は世を去ったが、イスラエルで何かことが起きたら最後、僅か3日間で「第三神殿」が完成し、イスラム教徒の激怒で、間髪を入れずに「第三次世界大戦」が勃発する‼

すると何が起きるかというと、戦略物質である「食糧」の輸出が世界中で止まり、食糧自給率38パーセント足らずの日本は、経済諸共お陀仏になる。

その38パーセントさえ、官僚の誤魔化しの「カロリーベース」のため、現実は17パーセント程度なので日本人の多くは、放射能が降り注ぐ前に飢餓で死ぬことになる。「アメリカが助けてくれる♡」……一体どの口が言っているのか分からないが、ロックフェラーの子分のビル・ゲイツが日本人に仕掛けた「ゲノム遅延死ワクチン」を接種した以上、日本人の殆どが、脳が溶ける狂牛病の「CJD（クロイツフェルト・ヤコブ病）」で死に果てるのに、アメリカが助けてくれるはずがないだろう。

在日系自民党による「マイナンバーカード」が「保険証」「運転免許証」「銀行・郵貯」と一体化すれば、日本人の個人資産が全て「財務省」預りとなり、自民党政府からアメリカに渡る仕掛けになっている。

岸田首相がウクライナの「連帯保証人」にサインした結果、ウクライナの敗北とともに膨大な額の借金が、日本人個人個人の借金となり、ロスチャイルドの「IMF（国際通貨基金）」が取り立てるため、日本人は丸裸になる。

在日が支配する「自民党」が「統一教会」と一体化しても選挙で「自民党」を選びつづけ、K系の創価学会「公明党」も一緒にのさばらせた付けは日本人が払わねばならず、一億総白痴の茹で蛙の末路がもうすぐ尽きる。

今の内に財産を銀行や郵便局から食糧や金など現物に換えておくことだ!!

ウクライナ侵攻もハマス攻撃もすべてバアル神（ルシフェル）を第三神殿に召喚させ、獣の救世主で、彼らのユートピアを完成させるための導火線に過ぎないのだ!!

ヤ・ゥマト（ヤハウェの民のヘブライ語）である大和民族は、聖書学的に言えば、「ノアの箱舟」に乗って旧世界から新世界にやって来た人類の末裔である。

その後の新世界で、ノアの息子の長男ヤフェトと白人種（コーカソイド）の妻との子孫、三男ハムと黒人種（ネグロイド）の妻との子孫、次男セムと黄色人種（モンゴロイド）の妻との子孫が世界に拡大する。

そんな中、セムの子孫のアブラム（アブラハム）から「神の遺伝子（ＹＡＰ＋）」を継承するヤ・ゥマト（大和民族）が出てくる!!

他のモンゴロイドは、セムの末裔であっても、最初のヘブライ人となるアブラハムの末裔ではないため、漢民族や朝鮮民族には基本的に「ＹＡＰ＋遺伝子」はない。

そのアブラハムがサラに産ませた子がイサクで、イサクの子のヤコブがイスラエルと名乗り、そこから「イスラエル12支族」が出てきて「ヤ・ゥマト（大和民族）」を名乗る。

そのサラの女奴隷ハガルが、アブラハムとの間に生んだのがイシュマエルで、今の「パレスチナ問題」で白人種のアシュケナジー系ユダヤに迫害されているパレスチナ人や、アラブ人は大和民族とは腹違いの兄の末裔である。

そのイシュマエルの一族から出たのが「ムハンマド（マホメット）」で、当然「YAP＋」を持ち、『旧約聖書』を中心とする「イスラム教」を興すことになる。

血統的に白人種のイスラエル人が有り得ないのは、ヤフェトからアスケナズ（アシュケナジー）は出ても、ダビデもソロモンもヤフェトの系図からは出てこないからだ。

一つ例外があるのは、エジプトに売られたヨセフの妻が、ヤフェト系の祭司ポテ・ィ・フェラの娘アセナテで、生まれたマナセとエフライムはヤ・ゥマトとのハーフで、YAP＋遺伝子を持つ為「イスラエル12支族」に養子縁組される。

但し、今のイスラエルを支配する白人種のイスラエル人は、その多くがユダヤ教に改宗した〝ユダヤ教ユダヤ人〟で、その祖先は「ハザール汗国」にいたトルコ系白人種が、国民総出でユダヤ教に改宗したことで生まれたユダヤ人で、そうさせたのが「偽ユダヤ」のカナン人のクシュだった。

彼らは、ハムの子で呪われたカナンの弟のクシュの一族で、悪王ニムロドの末裔であり、モーセの妻の1人がクシュだったこともあり、ヨシュアはクシュの民を打ち殺さずイスラエルの国内で奴隷として使うことになる。

その後、ニムロドの末裔はヤ・ゥマトと婚姻を結び、彼らの悪だくみでイスラエルが南北に分裂、最後は救世主も殺される羽目になり、ローマにも逆らわせ、ヤ・ゥマトは国を失い、西アジアからステップロード、あるいは絹の道へと姿を消すことになる。

その代わり、ニムロドの末裔はユダヤを名乗って「ハザール汗国」に移動、ユダヤ教に改宗させて大量の白人のユダヤ人を生み出し、自分たちの子孫も娘を嫁がせて白人化し、やがてアシュケナジー系ユダヤに交じって東ヨーロッパへと移動するが、彼らは悪巧みに秀でて、そこからロスチャイルドが生まれ、その傍系がドイツ系ユダヤとされるロックフェラーである。

当初、パレスチナの人々は、ヤ・ゥマトと同じ黒い髪と瞳を持つスファラディー系ユダヤ人と兄弟どうしで仲良く暮らしていたが、突然、白人の「偽ユダヤ人（アシュケナジー系ユダヤ）」が大量にやって来て、二枚舌外交のイギリスを動かすロスチャイルドの莫大な資金と、世界最大規模の軍事力を誇るアメリカを牛耳るロックフェラーにより、1948年5月14日、白人の〝偽イスラエル〟が建国される。

イサクの子ヤコブの双子（おそらく二卵性）の兄で、毛深いエサウの子孫は、やがてエドム人と呼ばれ、ヤコブに襲い掛かるようになるが、エサウはヤコブに殺されたため、最後は奴隷となり歴史から消え去っている。

つまり、「パレスチナ問題」とは大和民族の腹違いの兄のパレスチナ人とアラブ人対ユダヤ教に改宗した白人のアシュケナジー系ユダヤ（血統的には偽物）が、主導権を巡って争う図式なのである!!

白人のユダヤ人が強い理由は簡単で、背後に資金源となるイギリスのロスチャイルドと、武器援助を惜しまないアメリカのロックフェラーがいるからで、ラクダに乗って中東を行き来していたアラブ人や、エルサレムにスファラディー系ユダヤと一緒に平和に暮らしていたパレスチナ人にとれば、軒を貸す暇もなく武力で母屋を乗っ取られ、狭い領域に閉じ込められた上、入植地を増やさない約束を守らないことが問題を加速させた。

それはそうだろう、「国連（国際連合）」は「国際連盟」を創ったロスチャイルドを引き継いだロックフェラーの国際組織で、ユダヤの白人種がパレスチナの土地を次々と略奪しても、「国連」を支配する欧米白人諸国は見て見ぬふりをするのは当然だからだ。

なぜなら欧米諸国は長い間、アシュケナジー系ユダヤを本物のユダヤ人と信じ（今も信じている）、中世から近代までナチスを筆頭に迫害し続けた引け目があるからだ。

大和民族の預言書『旧約聖書』『新約聖書』を白人の頭で勝手に都合よく捻じ曲げ、ロスチャイルドとロックフェラーにとって都合よく悪用されてきた。

そんな白人のイスラエル人に、ロスチャイルドとロックフェラーの「イルミナティ（後期）／Illuminati（Late-day）」は、次々とビル・ゲイツ製「遅延死ワクチン」を接種させ、2024年を目途に、全てのアシュケナジー系ユダヤを殺すどころか、イギリス人やアメリカ人も「遅延死ワクチン」で殺す史上空前の裏切り行為をやってのける。

その前に、白人種のユダヤ人から「第三神殿」を奪い、「バアル神（ルシフェル）」を「第三神殿」に召喚させるため、「獣」を救世主に置いて「世界統一」を果たして「Great Reset／グレート・リセット」を完成させ、「New World Order／新世界秩序」を生き残った5億の奴隷たちを利用してやり遂げるのである!!

今の「ウクライナ侵攻」と「ハマスのイスラエル攻撃」は、その為の導火線であり、ロスチャイルドとロックフェラーが世界を操りながら、自分たちに都合よく動かしている!!

dystopia ㊻

すべてを俯瞰して、理解し、解決に導けるのは大和（ヤ・ゥマト）民族だけである!!

欧米人の常識と違うスタンス、さらに言えば一般的日本人の見方でもなく、大和（ヤ・

ゥマト／ヤハウェの民のヘブライ語）からの立場から、今の国際状況を紐解いていくと、こうなる。

その一次的基本として、世界人口の17パーセント（ロシア人を含む）しかない白人種の主導で世界の物事が決まることへの反発、特に米英だけで世界を動かし、米英二国だけで世界を支配しようと画策する背後に、白人ではないハム系クシュの悪王ニムロドの子孫であるロスチャイルドがイギリスに居て、その傍系のロックフェラーがアメリカに居て、最後の最後にそのイギリスとアメリカさえ裏切り、ニムロドの末裔が世界を完全支配する計画で動いている構図を知ることだ!!

たとえば現在、イスラエル人と称されている白人種は、遠い昔、ユダヤ教に改宗したヤフェト系の「宗教的ユダヤ人（アシュケナジー系ユダヤ）」で、セム系の血統的ユダヤ人（ヤ・ゥマト）ではない偽物である。

彼らの祖先は、紀元後9世紀頃までカスピ海から黒海（今のウクライナ付近）にいたトルコ系コーカソイドで、「ハザール汗国」を興したがウマイア朝に亡ぼされ、東ヨーロッパに移動して、ヨーロッパ人を本物のユダヤ人と思わせ、その結果、全ヨーロッパから救世主を殺した民族として迫害を受けつづけることになる。

一方、「ハザール汗国」にユダヤを名乗ったカナン人のクシュは、宗教的改宗者のアシュケナジー系ユダヤとともにヨーロッパに移動、そこでアシュケナジー系ユダヤの上に、宗教指導者として君臨、金貸しで巨万の富を得たロスチャイルドが出てきて、新大陸に送り込んだ傍系のロックフェラーとともに、イギリスとアメリカを裏から動かす立場になった。

ロスチャイルドは「国際連盟」の時代の基軸通貨ポンドを支配し、「国際金融ピラミッド」を築いて世界を銀行で支配する中、為替と世界銀行システムを牛耳ったため、ロスチャイルドの世界銀行に逆らう国は実質存在しなくなった。

一方、ロックフェラーは「第二次世界大戦」後の基軸通貨ドルを支配、「FRB（連邦準備制度理事会）」を介してドル札を幾らでも刷れる立場となり、「国際連合（国連）」と「国連機関」を全て支配している。

今やロスチャイルドの「国際銀行システム」は、イギリスの「資本主義」から始まる「新自由主義」、アメリカの「グローバル資本主義」を経て、世界中の企業から中間層が消滅、貧民しかいない国ばかりで銀行業務が停滞、日本では中小企業の激減で個人への貸付（サラリーローン）で食いつなぐ有様にある。

21世紀に入ると、「仮想通貨」「デジタル通貨」が拡大する中、ドル紙幣使用による利ザヤが急速に得られない状態に陥るロックフェラーにとれば、「グレート・リセット」をしなければ、自分たちのユートピアを維持できなくなる!!

そこでビル・ゲイツに命じ、無駄に生きている人間を間引きするため、世界人口を5億に激減させる策の実行を任せたのである。

それでも「イルミナティ（後期）／Illuminati（Late-day）」の新世界を維持できるのは、ＡＩで世界を管理する「ＡＩ／人工知能（artificial intelligence）」、人の代わりにロボットが働く「ロボテック・テクノロジーRobotech Technology」、ゲノム遺伝子工学で永遠に生きることも可能とする「バイオテクノロジー／biotechnology」の三本柱があるからだ。

その三本柱さえあれば、世界人口80億４５００万人は無駄となり、超富裕層のユートピア「リッチスタン／Richistan」にとれば、5億程度が地球環境にもよく、自分たちにとって支配しやすいと決定した。

後は欧米諸国を騙しながら、ウクライナと偽イスラエルも利用して「第三次世界大戦」を勃発させ、ヨーロッパを世界地図から消し去って、返す刀で中国と日本を同士討ちにし、イスラム諸国も火の海にしてしまえば、後の敵はロシアだけになる。

その前に偽ユダヤのアシュケナジー系を使って「第三神殿」を建設させ、その後、アシュケナジー系ユダヤから神殿を奪い、世界中の宗教を統一の美名で一本化、「バアル神」を世界統一宗教にする木曜聖日を宣言するのである!!

「One World」で世界を統一するには、世界宗教を統一すればよく、それには世界三大宗教「ユダヤ教」「キリスト教」「イスラム教」の聖地エルサレムを最大限に利用しなければならない。

2023年に入り、イスラエルのベンヤミン・ネタニヤフ首相の最初のターゲットは、イスラムの聖地に建つ「アル・アクサ・モスク(銀のドーム)」と定められたようだ。

2023年4月5日、エルサレム旧市街の聖地に建つイスラム教礼拝所「アル・アクサ・モスク」にイスラエル警察が突入、礼拝に集まっていたパレスチナ人と衝突し、パレスチナ人12人が負傷、350人以上が罪も無いのに逮捕された。

2023年10月3日、イスラエル軍に保護されながら832人のイスラエル人が聖地に乱入、イスラエル軍は60歳未満のイスラム礼拝者がモスクへ入ることを禁じた上、ネタニヤフ政権の目的は、その先にある「第三神殿」建設で、そのための大義名分づくりを開始したのである。

イスラエルの極右政権は、「アル・アクサ・モスク(銀のドーム)」を取り壊し、その勢いで「クッバ・アッサフラ(黄金のドーム)」も破壊、テンプルマウントに「第三神殿」建てると決めたようで、既にデモンストレーションとして、ヘブロンの「イブラヒミ・モスク」の半分がシナゴーグに改築されたと、インドネシアの「ゲリンドラ党」のDPP副議長ファドリが暴露した。
「クッバ・アッサフラ（黄金のドーム）」がある聖地「神殿の丘」は、ユダヤ教の聖地でもあり、アラビア語で「ハラム・アッシャリーフ」といい、度々ユダヤ教徒とイスラム教徒の緊張を高めてきたが、いよいよネタニヤフは本気でやる気満々だった。

２０２３年10月7日午前6時半、ガザ地域のパレスチナからイスラエルに向け、一説では５０００発ものロケット弾が一斉に発射され、数百人のハマス兵士がコンクリート壁を乗り越え、次々とキブツを襲ったが、これをモサドが故意に黙認したのは、ハマスの無差別攻撃を導火線に「ガザ地域」を消滅させ、その勢いをかって「アル・アクサ・モスク」を破壊し、次に「クッバ・アッサフラ（黄金のドーム）」を対テロ戦争を名目に破壊するつもりだからだ!!

アメリカのバイデン大統領は、２０２３年10月18日にイスラエルを緊急訪問するが、今度もまた「第三神殿」建設にＳＴＯＰを掛けることができず、アントニー・Ｊ・ブリンケン国務長官同様に押し切られた。

その答えは、ロスチャイルドとロックフェラーが握っており、ロシアのプーチン大統領の出方にも関わって来る。

dystopia

要するにガザ地区を乗っ取るのである！　「レバイアサン・ガス田」「タマル・ガス田」がガザ地区沖で発見され、採掘されていた！

ニムロドの末裔のロスチャイルドによって創られた、白人種の偽ユダヤ「アシュケナジー系ユダヤ」のイスラエルは、ヤ・ゥマトの兄弟となるイシュマエルの子孫のパレスチナ人（アラブ人の一派）ら有色人種を幾ら殺しても白人の神イエス・キリストは喜ばれるとする啓蒙思想「マニフェスト・デスティニー／Manifest Destiny（明確なる使命）」を掲げるアメリカが支えるからである。

「ガザ地区」も「ヨルダン川西岸地区」もパレスチナ自治区で、ロスチャイルドとロックフェラーから多くの援助を受けるイスラエルと比べ、非常に貧しい国だが、近年、ガザ地区沖一帯で「レバイアサン・ガス田」が発見され、アメリカ系石油会社「シェブロン」が採掘し、イスラエル～エジプト間を「ＥＭＧ（東地中海ガス）」のパイプラインで送っている。

２０２３年10月10日、ハマスのイスラエル攻撃を受け、「シェブロン」はエジプト向け天然ガス輸出を停止し、ヨルダンを経由する代替パイプラインで供給することを発表した。

「レバイアサン・ガス田」はイスラエル西海岸沖の全領海で、パレスチナのガザ地区沖でもあるが、アラブ系有色人種には白人のアシュケナジー系ユダヤと同じ権利はない。

アメリカ系石油会社「シェブロン」はイスラエル政府とタイアップし、、イスラエル沖の「レバイアサン・ガス田」の天然ガスを、イスラエル南部の町「アシュケロン」（ガザ地区の北約10キロ）からエジプト・シナイ半島の町「アリーシュ」まで送り、エジプトに供給し、天然ガスの一部はヨルダンにも輸出されている。

エジプトは「レバイアサン・ガス田」と「タマル・ガス田」のイスラエル産ガスを輸入し、そこで地中海で唯一の「ＬＮＧ（液化天然ガス施設）」を稼働させ、タンカーでＥＵ諸国に輸出する計画を進めていた。

そのイスラエルにとって、石油利権にガザ地区が絡んで来るのを避けなければならず、ガザ地区からガス田施設を攻撃されたらイスラエルにとっての虎の子を失いかねない。

そこで、わざとパレスチナを刺激するため、嘆きの壁の上の聖域に８００人以上のイスラエル人をイスラエル兵士の護衛で乱入させ、その前には、「アル・アクサ・モスク（銀のドーム）」にイスラエル兵が侵入、３００人近いパレスチナ人を拘束する真似をしても、ロックフェラーが支配する白人優先機関「国連」は何の批判もしなかった。

それに怒りを覚えたハマスが、2023年10月7日、イスラエルに向け5000発近いロケット弾を発射し、コンクリート壁を越えた攻撃をしたら、欧米白人種主導で動く「国連」がハマスを一斉非難、老害バイデンも非人道的行為をテロと見なしてイスラエルを全面擁護した。

イスラエルのベンヤミン・ネタニヤフ首相率いる極右政党は、ガザ地区北部の住民を南部へ移動させて北部をイスラエルの領土とし、次に、アメリカのブリンケン国務長官が推奨する「人道回廊」で南部に逃げたパレスチナ人を全てエジプトへ避難させれば、イスラエルは「ガザ地区」の全てを自国領土にできる!!

それにエジプトは難色を示して抵抗しているが、バイデンがイスラエルに乗り込んできたため、いつまでエジプトが抵抗できるかは分からないところへ、ガザ地区で病院が爆撃で爆破され女子供を含む500人が死亡した。そのため世界中がイスラエルを非難しても、イスラエルにはロスチャイルドと、ロックフェラーがついているため屁でもない!!

2023年10月12日、エジプトのアブドルファッターフ・アッ＝シーシー大統領は、イスラエルとアメリカによる〝ガザ退避勧告〟は、パレスチナの大義を終結させる試みと警告、パレスチナ人は自らの土地で不動の存在であり続けなければならないと強調した!!

また、ヨルダンのサファディー副首相兼外相も、パレスチナ人をガザ地区からエジプトに移住させ、近隣諸国に難民問題を拡大させようとする試みに反対を表明した。

要は、「国連」の欧米諸国を味方につけた白人のアシュケナジー系ユダヤと、ロックフェラーが支配するアメリカの「ガザ地区乗っ取り計画」に従ってはならないと警告しているのだ。

dystopia 68 ディストピアを粉砕せよ！　欧米キリスト教諸国は要するにロスチャイルドとロックフェラーに翻弄され、騙され続けてきたのである!!

2023年10月17日、ハマスが実効支配するパレスチナ自治区「ガザ」にある「アハリ・アラブ病院」で爆発が起き、行き場を失った子供や女性、入院患者、医師、看護師など少なくとも500名が爆死したと「ガザ」の保健当局が発表した。

当初は、イスラエルが10月7日のハマスによる5000発のロケット弾攻撃に反撃した爆撃機が、250カ所のハマスの軍事拠点に落とした爆弾の一つが病院を直撃したと思われた。

実際、その証拠の動画がYouTubeで世界中へ拡散したが、イスラエルは自軍の爆撃のせいではないと否定、「ＩＡＦ（イスラエル空軍）」がその証拠として、ドローンで撮影した画像を公開した。

その画像を基に、「ＩＡＦ（イスラエル空軍）」は病院近くのハマスとは別のイスラム過激派組織「パレスチナ・イスラム聖戦機構」の拠点から発射された10発のロケット弾の内の1発～数発が、コースを外れて「アハリ・アラブ病院」の駐車場に落下して爆発したと発表した。

アメリカのバイデン大統領がイスラエルを訪問した当日に起きた「アハリ・アラブ病院爆破」について、翌18日、「テロ組織によるロケット弾の誤射のようだ」としてイスラエルとの連帯を表明するとともに、パレスチナへの人道支援を約束した。

アメリカの複数の米当局筋（ＣＩＡ）は、爆死も疑わしいとするが、イラクの大量破壊兵器の捏造画像や、偽情報のオンパレードのＣＩＡが何を言おうと信用などできるものではない。

が、「ＤＩＡ（アメリカ国防総省情報局）」が、「イスラエルは病院を攻撃していない。それは我々が知り得た事実だ」とし、「画像と（傍受した）通信は、ガザ地区内部から発射されたロケット弾が病院ではなく駐車場に着弾したことを示している」とイスラエルを擁護した上、死者はせいぜい20、30人に過ぎないとした。

どちらの言い分が正しかろうと、間違いなく言えるのは国際世論の風向きが一変したことで、「アハリ・アラブ病院」がガザ地区唯一のキリスト教系の病院だったことも手伝い、イスラエルが決行しようとしていた「ガザ侵攻」は一時期に過ぎなかったが、実質不可能、困難になった。

「アハリ・アラブ病院」を運営する「エルサレム中東聖公会」は、爆発について声明を出し、イスラエルの空爆の最中で起きた「残虐な攻撃」に遺憾の意を表明したことを切っ掛けに、ハマスが始めた戦争に対する非難が、パレスチナ人が長年耐えてきた苦難の歴史の方に注目が集まることになった。

一度流れが変わったら、「IAF（イスラエル空軍）」が、幾ら「病院の隣の建物は無傷だ。これは、我々がこのエリアに爆弾を投下していないことを示すさらなる証拠だ」と言っても、国際的な〝潮目〟が一時的とはいえ変わったため、イスラエルの空軍の爆撃で、今回と同じ事態が起きたら国際社会はイスラエルを許さない空気が支配した。

少なくとも今回の一件で、「イスラエル建国」から、国連合意を無視して「パレスチナの土地を奪いつづけ、「キブツ」という入植地を増やしても、「国連」が無視してきた歴史や、さらに、2023年に入り、イスラエルのベンヤミン・ネタニヤフ首相がパレスチナ人に対する挑発を強めた事実にまで、世界の目が及ぶ事態になった。

2023年4月5日、イスラエルの警官隊がモスク内へ突入、10月3日、イスラエル軍に保護されたイスラエル人832人が聖域に侵入、60歳未満のイスラム礼拝者がモスクへ入ることを禁じ、300人以上を拘束してモスクから追い出した事実が、ハマスの攻撃を生んだとすれば、ハマスだけを一方的に非難するのはおかしいと世界が気付き始めたのだ。

2010年、イスラエル北部で推定埋蔵量約4500億立方メートルの大規模なガス田を発見したと「ノーブル・エナジー」が発表、「USGS（アメリカ地質調査所）」の推定で、エジプトからギリシャ一帯の海域に9兆8000億立方メートルの天然ガスと、34億バーレルの原油が眠っていると判明したことから、「ガザ」の位置がイスラエルにとって不都合になるどころか、利権にまで喰い込んで来る可能性があった。

「ノーブル・エナジー」はヒラリー・クリントンに選挙資金を提供した「ジョージ・ソロス」が操り、ソロスはイギリスのロスチャイルドの金融資本と結びついている。

ロスチャイルドを率いる頭首ジェイコブ・ロスチャイルドが、戦略顧問として名を連ねるのが「ジェニー社」で、イスラエルが不法占拠するシリア領の「ゴラン高原」から石油開発を目論んでいる。

欧米キリスト教諸国は、白人による白人のための「聖書」の預言を近年に入り「イスラエル独立」で成就（じょうじゅ）した（全てロスチャイルドの仕組んだシナリオである）イスラエルを信じ、イエス・キリストの再降臨の舞台を築いているアシュケナジー系ユダヤの暴虐を、全て預言の成就のためと信じ込み、そこをロスチャイルドとロックフェラーに付け込まれ、利用され、騙され続けているのが現状である!!

パレスチナ人の見方では、何の関係もない白人の偽ユダヤ人が突如パレスチナへ大挙して押し寄せ、イスラエルを建国して、我々を追い出そうとしている！

イスラエルの「ハ＝ショアー／大災厄」に対し、パレスチナにも「アル＝ナクバ／大災厄」という言葉がある。

１９４８年5月14日、イギリスの二枚舌外交と、ロスチャイルドの膨大な資金援助を受け、それまで国を失い彷徨（さまよ）っていた白人種のアシュケナジー系ユダヤ（改宗的ユダヤ人）は、ナチスドイツの「ホロコースト（大虐殺）」を経て、白人種のイスラエルの建国を宣言した。

ロスチャイルドの手で巻き起こった「シオニズム運動」は、ホロコーストを頂点とする「反ユダヤ主義」に苛（さいな）まれるユダヤ人には、〝自らのための独立国家が必要〞という点が重要で、興味深いことに当時のラビたち宗教者には国家の樹立は特に必要のない代物だった。

その頃のパレスチナには、黒い瞳と黒い髪を持つセム系ユダヤ人（スファラディー系ユダヤ）と、同じアブラハムの子孫で腹違いの兄弟関係にあるアラブ系のパレスチナ人は仲良く助け合って生活をしていた。

そこへ突然、降って湧いたように、イギリスの手引きで白人種のユダヤ人が大量に入って来て、パレスチナに「ユダヤ人国家」を建国すると称し、パレスチナで大多数を占めていたパレスチナ・アラブ人を次々と追い出し始めたのである。

その頃はまだイスラエル建国前にも拘らず一方的に白人種の非血統的ユダヤ人が、パレスチナ・アラブ人を独立国家樹立の邪魔として排除し、75万人ものパレスチナ人が追放されていた。

その結果、二枚舌のイギリスが約束した「パレスチナ国家樹立」の道は絶たれ、後に明らかになるアシュケナジー系ユダヤによる、パレスチナ人の女子供の大虐殺を、パレスチナ社会はアラビア語で「アル＝ナクバ／大災厄」として記憶する。

白人種は虐殺を好み、日本のゲームのように敵を生かして同化させる「将棋」と違い、白人種のゲームの「チェス」は一方的に敵を殲滅して盤面（この世）から消し去ることを楽しみとする。

２０２3年10月7日の朝、パレスチナのイスラム組織ハマスは前例のない規模の攻撃をイスラエルに対して開始、何百人もの戦闘員がパレスチナ自治区「ガザ」に近いイスラエル領内へと侵入した。

イスラエル政府によると、少なくとも１３００人の白人の死亡が確認され、２００人近い兵士や民間人が拉致され、そのテロ攻撃を受けたイスラエル軍は、堂々とガザ空爆を開始、17日時点でパレスチナ人約３０００人を殺し、さらに白人系ユダヤは二度とカラード(有色人種)が白人に逆らわないよう、食料、水、エネルギーなど生活必需品の供給を遮断した。

さらに白人種のアシュケナジー系ユダヤは、3万人以上の予備役を招集、大部隊を「ガザ」の境界線沿いに集結させ「ガザ北部」の住民１１０万人に対し、一応は警告したというアリバイ作りに、ガザ南部への退避を通告したが、虐殺する気満々で一刻も早く「ガザ」の全てを亡ぼす野心が見え見えだった。

元々、中東のパレスチナは、オスマン帝国が支配していた地域で、「第一次世界大戦」でイギリスがオスマン帝国を破ると、パレスチナはイギリスが実行支配するようになった。

この土地には、元々セムの末裔のスファラディー系ユダヤ人が、多数の同じセムのアラブ系パレスチナ人と共存して、他の少数民族とも仲良く暮らしていたが、１９１7年、イギリスが白人種のアシュケナジー系ユダヤ人に「ナショナル・ホーム（民族的郷土）」をパレスチナに創ると提案し、アーサー・バルフォア英外相がイギリスに住むユダヤ人団体に書簡でそれを許可した。

これを「バルフォア宣言」といい、あれよあれよという間にロスチャイルドの後押しで設立された「国際連盟」で承認されてしまうのである。

あまり知られていないが、白人種のアシュケナジー系ユダヤは「イスラエル建国」以前の1920年代〜40年代にかけて、パレスチナ地域へ流入し続け、パレスチナにすれば降って湧いたように白人がユダヤ人を名乗って土地を占拠し始めたことになる。

偽ユダヤ人とアラブ人の間で抗争が絶えないのは当然で、イギリスは1948年にさっさとパレスチナから撤退、その隙に乗じて偽ユダヤのイスラエルが建国されてしまうのである。

関係のない白人のユダヤと称する連中がイスラエルを建国した翌日、当時の「アラブ連盟」に加盟するシリア、レバノン、ヨルダン、イラク、エジプトの5カ国がイスラエルを一斉攻撃したが、それには一つの事件が前提としてあった……それが「デイル・ヤーシーン村の大虐殺」である!!

エルサレム北西部に位置するパレスチナ・アラブ人の村「デイル・ヤーシーン」には、

1946年当時、約610名の村民が暮らしていたが、男が出払った後、白人種のユダヤの兵士らが一斉に襲い、命乞いする老人を殺し、女をレイプした後で楽しみながら皆殺しにし、赤ん坊や子供まで虐殺し尽くした。

この恐るべき事件がパレスチナ中に知れ渡るや、何十万人ものパレスチナ人が、自宅を追われるか逃げるかしてパレスチナを離れた。これをパレスチナの人たちは「アル・ナクバ（大災厄）」と呼んでいる。

この村はパレスチナのユダヤ人コミュニティ「イシューヴ」に対し友好的な人々であったし、村の「ムフタール（村民の指導者）」が1942年に周辺ユダヤ人入植地との間で不戦協定を交わしていたが、白人系ユダヤの兵によって簡単に裏切られてしまう。

しかも「デイル・ヤーシーン村」の位置が、イシューヴ指導部が計画していたエルサレム占領にとって戦略上要だったため、カラード相手に約束を反故にしてもかまわないとなった。この虐殺のお陰で、パレスチナから大勢のアラブ系住民が逃げ出したことの成功の方を評価しているのがネタニヤフである。

今の偽イスラエル主導部の見解もネタニヤフと同じで、結果的に「ユダヤ国家」の領域からアラブ人を追い出すイシューヴの目的に貢献したと評価、アメリカのバイデン大統領も同じで、白人が建国した国家として白人種のイスラエルを擁護している。

少なくともこの一連のパレスチナにおける歴史を知れば、少なくともハマスをアメリカが言うような単なるテロリストとは言えなくなるはずである。

エピローグ

ロスチャイルドとロックフェラーは、聖書学的にいえば、ヤフェト系の白人種（コーカソイド）の末裔ではなく、ノアの三人の息子の長男「ヤフェト」、次男「セム」、三男「ハム」の内（白人の聖書は表記順が間違い）、ハム系の黒人種（ネグロイド）を祖に持つカナン人の一派である。

「カナン」は今のイスラエル一帯を指し、ノアの息子でハムの子カナンの子孫の一部（多くはアフリカに移動した）と、同じハムの息子の一人クシュの子孫も住み、クシュは「バベルの塔」を築いた猛悪の王「ニムロド（デ）」を生んだ。

ロスチャイルドの当首ジェイコブ・ロスチャイルドが、自ら明かしたように「わがロスチャイルド一族はニムロドの直系である」から、世界的にはユダヤ人に化けている「バアル教」信者となる。

「バアル」とは〝光を運ぶ者〟の意味で、絶対神ヤハウェとともに天界を二分した熾天使（してんし）ルシフェルを指し、「天上の大会議（天界の大戦争）」で大天使ミカエル軍に敗れ、地の底まで堕ちてルシファー（悪魔）となった堕天使を指している。

「バアル」は幼児を好んで生贄に捧げさせ、カナン一帯にバアルの神殿を築いていたため、ノアの息子でサレムにいたセム（後のメルキゼデク）が軍を起こしてニムロドの首をはねてしまう。

その後、モーセの時代になって、イスラエル12支族が「出エジプト」し、約束の地「カナン」を目指すが、ハム系カナンの末裔が住んで「バアル」を崇拝していたため、モーセの後継者ヨシュアがカナン人らを全て打ち殺したが、そこにクシュのニムロドの末裔（ロスチャイルドの祖）も住んでいた。

ヨシュアは、絶対神ヤハウェから呪われたハムの子カナンの末裔（多くは既にアフリカに移動していた）は殲滅したが、同じハムの子クシュはカナンの末裔では無かったことと、モーセがクシュの娘と婚姻を結んでいたため、クシュは「カナンと同じくセムの奴隷になる」と軍門に降り、ヨシュアは奴隷として彼らを「約束の地」に住まわせることになる。

クシュは自分たちの娘をヤ・ゥマトに差し出し、イスラエル12支族との間で子をなして同化するが、「バアル」の教えを浸透させることでイスラエルを南北に分裂させ、宗教組織「サンヘドリン」を支配し、救世主イエス・キリストを磔刑にし、ローマ帝国に逆らわせて国を失わせてしまう。

イスラエルが滅亡する直前、カナン人はイスラエル北東に位置するトルコ系コーカソイドの「ハザール汗国」に脱出、ユダヤ人を名乗って前例に倣い娘を白人に嫁がせ、逆に白人種の娘を得て子を産ませ、今度は白人に化けていった。

やがてハザールの白人たちを、東ローマ帝国キリスト教ｖｓイスラム教の勢力争いから守る一手として、全国民をユダヤ教に改宗させ、白人系宗教的ユダヤ人「アシュケナジー系ユダヤ」を大量に創り出した。

が、やがてウマイア朝が攻め込んできたため、東ヨーロッパに向けてアシュケナジー系ユダヤと共に脱出、クシュであるにもかかわらず白人系ユダヤ人としてヨーロッパ人を騙し、ナポレオン戦争の際、高利貸しで莫大な富を得たロスチャイルドが誕生、やがてヨーロッパを「銀行」で支配するようになる。

ヨーロッパのピュリタントはアシュケナジー系ユダヤの筆頭としてロスチャイルドを毛嫌いし、新大陸にもカトリック同様にロスチャイルドを入国させなかった。

そこでロスチャイルドは傍系のロックフェラーをドイツ系白人種と偽らせて新大陸に送り込み、莫大な資金を与えて「石油王」に仕立て、「ウォール街」を支配させていった。

斯くして、イギリスをロスチャイルドが、アメリカをロックフェラーが支配して世界を動かすようになり、白人のアシュケナジー系ユダヤのための「偽イスラエル」をロスチャイルドが建国させ、イスラム教アラブ人（パレスチナ人を含む）をロックフェラーのアメリカの最新鋭の武器で排斥させ、「第三神殿」を建てさせることで「第三次世界大戦」をヨーロッパで起こし、最終的に世界宗教を「第三神殿」の下で統一し、アシュケナジー系ユダヤをビル・ゲイツ製母型ゲノム遅延死ワクチン接種で全員（ラビは信仰上接種していない）殺した後、「バアル教」にする計画で世界が動いている。

ロスチャイルドはサッチャーを使って「新自由主義」で国営を全て民間にする動きを作り、ロックフェラーはレーガンを使って旧ソ連を欧米資本主義で崩壊させ、返す刀で「グローバル資本主義」を加速、欧米国内経済を空洞化させ、その一方で中国を「世界の工場」として加速発展させ、NATOもロスチャイルドとロックフェラーで東進させてロシアを刺激、一方、ロックフェラーは台湾を利用して中国が日本を核攻撃するよう誘導、世界人口を「イルミナティ／Illuminati（Late-day）」の支配しやすい5億に激減するため、「国連機関」を利用してビル・ゲイツ製母型ゲノム遅延死ワクチンを拡散、チェスをするように世界を自分たちの「Utopia：リッチスタン」を目指して、跡形もなく改造する「Transform／トランスフォーム」に突き進んでいく。

ロスチャイルドとロックフェラーにとって目の上の瘤の「ヤ・ゥマト（ヤハウェの民）」は、アメリカ軍の支配下で在日が傀儡となる「自民党」とK系「創価学会・公明党」によって腑抜けにさせ、日本安売りの「アベノミクス」で刻一刻と貧しくなる政策にも日本人は全く気付かない。その後、岸田政権によって、日本を完全に経済崩壊させる方向へと動き、最終的にアメリカ軍（海兵隊）により日本人は日本列島から駆逐されるのである。

世界は、ロスチャイルドとロックフェラーの「イルミナティ（後期）／Illuminati（Late-day）」の戦略、「グレート・リセット／Great-reset」に協力しながら、自ら亡ぶ世界大虐殺「ジャイアント・ホロコースト／Giant-Holocaust」目指して突き進んでいるが、目まぐるしく変わる国際情勢の変化に多くの人間は付いて行けない!!

唯一、ロスチャイルドとロックフェラーに逆らい、最後の最後で逆転するのが、ヤ・ゥマトの中核でありモーセの直系の天皇徳仁（なるひと）陛下で、モーセが造らせカナン人を打ち倒した「ユダヤの三種の神器」と「契約の聖櫃アーク」を携え、ニムロドの直系をセム同様に打ち殺し、「バアル」を破壊する使命を神から預かり、生き残った大和民族が「出ＪＡＰＡＮ」を行うことで、セム系直系のヤ・ゥマトの同胞を、東アジア、中国南部、インド北部一帯、チベット、中央アジア一帯から集合させ、約束の地カナンを取り返すために進軍していく。

その数は膨大で、北の果てのアルザルから飛来する「メルカバー：神の戦車」が燃え盛る炎でイスラエルを守り、モーセの時代の「マナ」を与えられながら、ロックフェラーがアメリカに連れてきたラムセス二世の直系で、偽救世主のバラク・オバマが座る「第三神殿」に向かい、ロスチャイルドのイギリス軍、ロックフェラーのアメリカ軍を次々と殲滅していく!!

これが「ディストピア／Dystopia」を滅ぼす大和民族による絶対神が築く「ユートピア／Utopia」となり、大和民族の預言者が古代から記してきた『旧約聖書』『新約聖書』でいう「福千年（至福年）」に繋がっていく。

日本の国歌『君が代』の「千代に八千代に……」は、初代天皇陛下のアダムが「エデンの園」から追放され、エデンの東（極東）に住んだ紀元前4000年から6000年間を経て、1999年にイエス・キリストの生涯年数32歳を加えた2031年頃に、ヤ・ゥマトがロスチャイルドとロックフェラーに勝利し、その後、一千年は「ノアの大洪水」前や、地球内部世界「シャンバラ（アルザル）」と同じヒトの寿命は一千歳となり、エデンの園追放から8000年目を迎える「最後の審判」まで、皇祖神の下にアダムから続く歴代のヤ・ゥマトの預言者たちが管理する預言になっている。

［完］

飛鳥昭雄　あすか あきお

1950（昭和25）年大阪府生まれ。企業にてアニメーション、イラスト＆デザイン業務に携わるかたわら、漫画を描き、1982年漫画家として本格デビューする。

漫画作品として『恐竜の謎・完全解明』（小学館）等、作家として『失われた極東エルサレム「平安京」の謎』（学研）等多数。小説家として、千秋寺京介の名で『怨霊記シリーズ』（徳間書店）等を発表。

現在、サイエンスエンターテイナーとして、TV、ラジオ、ゲームでも活動中。

命も財産も全て奪われる
日本人のためのディストピア・サバイバル・テキスト
備えよ、2024年その凶暴なプランが露わになる!

第一刷　2024年4月30日

著者　飛鳥昭雄

発行人　石井健資

発行所　株式会社ヒカルランド
〒162-0821 東京都新宿区津久戸町3-11 TH1ビル6F
電話 03-6265-0852　ファックス 03-6265-0853
http://www.hikaruland.co.jp　info@hikaruland.co.jp

振替　00180-8-496587

本文・カバー・製本　中央精版印刷株式会社

DTP　株式会社キャップス

編集担当　TakeCO/utoi

落丁・乱丁はお取替えいたします。無断転載・複製を禁じます。
©2024 Asuka Akio Printed in Japan
ISBN978-4-86742-354-7

みらくる出帆社
ヒカルランドの

イッテル本屋

ヒカルランドの本がズラリと勢揃い！

みらくる出帆社ヒカルランドの本屋、その名も【イッテル本屋】手に取ってみてみたかった、あの本、この本。ヒカルランド以外の本はありませんが、ヒカルランドの本ならほぼ揃っています。本を読んで、ゆっくりお過ごしいただけるように、椅子のご用意もございます。ぜひ、ヒカルランドの本をじっくりとお楽しみください。

ネットやハピハピ Hi-Ringo で気になったあの商品…お手に取って、そのエネルギーや感覚を味わってみてください。気になった本は、野草茶を飲みながらゆっくり読んでみてくださいね。

〒162-0821 東京都新宿区津久戸町3-11 飯田橋 TH1ビル7F　イッテル本屋

みらくる出帆社ヒカルランドが
心を込めて贈るコーヒーのお店

イッテル珈琲

絶賛焙煎中！

コーヒーウェーブの究極の GOAL
神楽坂とっておきのイベントコーヒーのお店
世界最高峰の優良生豆が勢ぞろい

今あなたがこの場で豆を選び
自分で焙煎(ばいせん)して自分で挽(ひ)いて自分で淹(い)れる

もうこれ以上はない最高の旨さと楽しさ！

あなたは今ここから
最高の珈琲 ENJOY マイスターになります！

《不定期営業中》

◉イッテル珈琲
http://www.itterucoffee.com/
ご営業日はホームページの
《営業カレンダー》よりご確認ください。
セルフ焙煎のご予約もこちらから。

イッテル珈琲
〒162-0825　東京都新宿区神楽坂 3-6-22　THE ROOM 4 F

自然の中にいるような心地よさと開放感が
あなたにキセキを起こします

元氣屋イッテルの１階は、自然の生命活性エネルギーと肉体との交流を目的に創られた、奇跡の杉の空間です。私たちの生活の周りには多くの木材が使われていますが、そのどれもが高温乾燥・薬剤塗布により微生物がいなくなった、本来もっているはずの薬効を封じられているものばかりです。元氣屋イッテルの床、壁などの内装に使用しているのは、すべて45℃のほどよい環境でやさしくじっくり乾燥させた日本の杉材。しかもこの乾燥室さえも木材で作られた特別なものです。水分だけがなくなった杉材の中では、微生物や酵素が生きています。さらに、室内の冷暖房には従来のエアコンとはまったく異なるコンセプトで作られた特製の光冷暖房機を採用しています。この光冷暖は部屋全体に施された漆喰との共鳴反応によって、自然そのもののような心地よさを再現。森林浴をしているような開放感に包まれます。

みらくるな変化を起こす施術やイベントが
自由なあなたへと解放します

ヒカルランドで出版された著者の先生方やご縁のあった先生方のセッションが受けられる、お話が聞けるイベントを不定期開催しています。カラダとココロ、そして魂と向き合い、解放される、かけがえのない時間です。詳細はホームページ、またはメールマガジン、SNSなどでお知らせします。

元氣屋イッテル（神楽坂ヒカルランド　みらくる：癒しと健康）
〒162-0805　東京都新宿区矢来町111番地
地下鉄東西線神楽坂駅２番出口より徒歩２分
TEL：03-5579-8948　メール：info@hikarulandmarket.com
不定休（営業日はホームページをご確認ください）
営業時間11：00〜18：00（イベント開催時など、営業時間が変更になる場合があります。）
※ Healingメニューは予約制。事前のお申込みが必要となります。
ホームページ：https://kagurazakamiracle.com/

元氣屋イッテル
（神楽坂ヒカルランド みらくる：癒しと健康）
大好評営業中!!

宇宙の愛をカタチにする出版社　ヒカルランドがプロデュースしたヒーリングサロン、元氣屋イッテルは、宇宙の愛と癒しをカタチにしていくヒーリング☆エンターテインメントの殿堂を目指しています。カラダやココロ、魂が喜ぶ波動ヒーリングの逸品機器が、あなたの毎日をハピハピに！　AWG、音響チェア、タイムウェーバー、フォトンビームなどの他、期間限定でスペシャルなセッションも開催しています。まさに世界にここだけ、宇宙にここだけの場所。ソマチッドも観察でき、カラダの中の宇宙を体感できます！　専門のスタッフがあなたの好奇心に応え、ぴったりのセラピーをご案内します。セラピーをご希望の方は、ホームページからのご予約のほか、メールでinfo@hikarulandmarket.com、またはお電話で03－5579－8948へ、ご希望の施術内容、日時、お名前、お電話番号をお知らせくださいませ。あなたにキセキが起こる場所☆元氣屋イッテルで、みなさまをお待ちしております！

ソマチッド

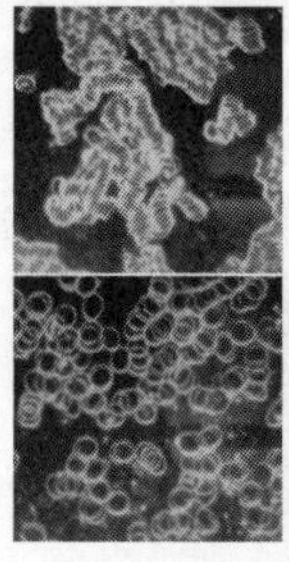

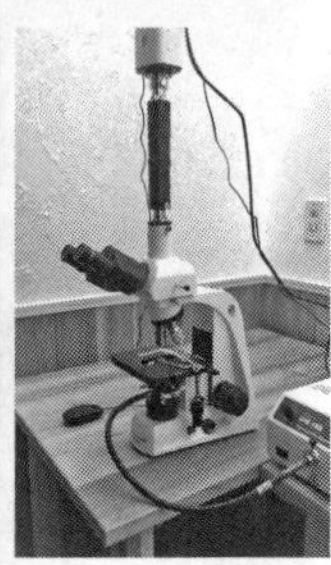

暗視顕微鏡を使って、自分の体内のソマチッドを観察できます。どれだけいるのか、元気なのか、ぐったりなのか？　その時の自分の体調も見えてきます。

A. ワンみらくる（1回）　1,500円
B. ツーみらくる
（セラピーの前後比較の2回）　3,000円
C. とにかくソマチッド
（ソマチッド観察のみ、波動機器セラピーなしの1回）　3,000円

※ A、B は 5,000 円以上の波動機器セラピーをご利用の方限定

【フォトンビーム×タイムウェーバー】

フォトンビーム開発者である小川陽吉氏によるフォトンビームセミナー動画（約 15 分）をご覧いただいた後、タイムウェーバーでチャクラのバランスをチェック、またはタイムウェーバーで経絡をチェック致します。

ご自身の気になる所、バランスが崩れている所にビームを 3 か所照射。

その後タイムウェーバーで照射後のチャクラバランスを再度チェック致します。
※追加の照射：3,000 円 /1 照射につき

ご注意

・ペットボトルのミネラルウォーターをお持ちいただけたらフォトンビームを照射致します。

3照射　18,000円（税込）
所要時間：30～40分

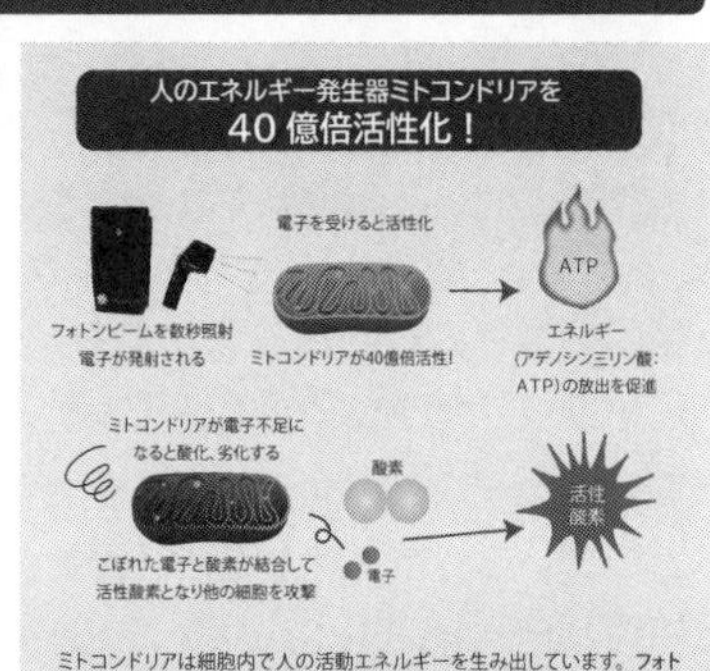

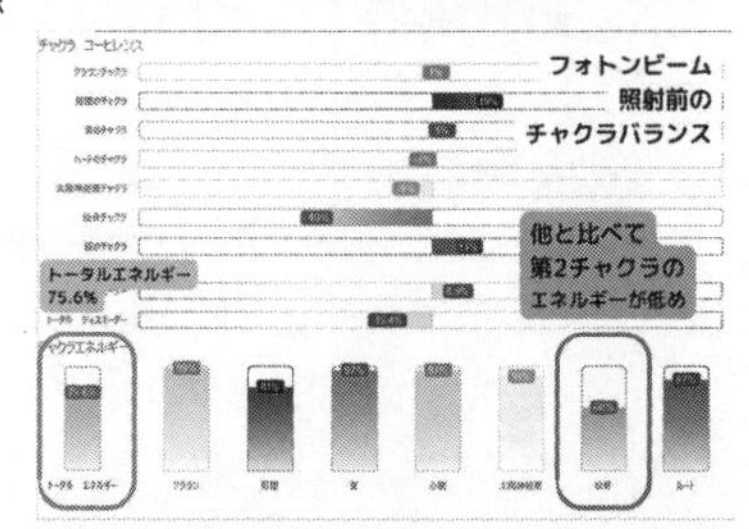

ハピハピ《ヒーリングアーティス》宣言！

元氣屋イッテル（神楽坂ヒカルランドみらくる：癒しと健康）では、触覚、聴覚、視覚、嗅（きゅう）覚、味覚の五感を研ぎすませることで、健康なシックスセンスの波動へとあなたを導く、これまでにないホリスティックなセルフヒーリングのサロンを目指しています。ヒーリングは総合芸術です。あなたも一緒にヒーリングアーティストになっていきましょう。

AWG ORIGIN®

電極パットを背中と腰につけて寝るだけ。生体細胞を傷つけない69種類の安全な周波数を体内に流すことで、体内の電子の流れを整え、生命力を高めます。体に蓄積した不要なものを排出して、代謝アップに期待！ 体内のソマチッドが喜びます。

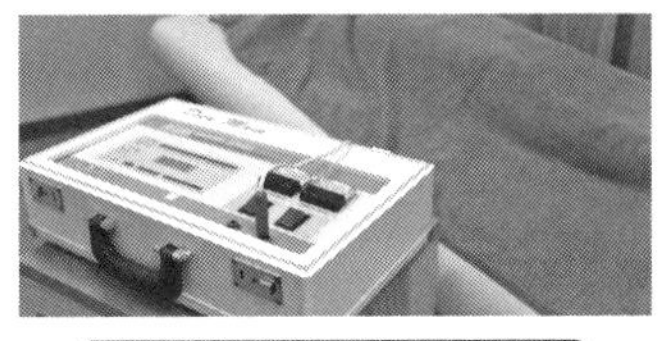

A. 血液ハピハピ&毒素バイバイコース
（60分）8,000円

B. 免疫 POWER UP バリバリコース
（60分）8,000円

C. 血液ハピハピ&毒素バイバイ＋
免疫 POWER UP バリバリコース
（120分）16,000円

D. 脳力解放「ブレインオン」併用コース
（60分）12,000円

E. AWG ORIGIN®プレミアムコース
（9回）55,000円
（60分×9回）各回8,000円

プレミアムメニュー

①血液ハピハピ&毒素バイバイコース
②免疫 POWER UP バリバリコース
③お腹元気コース
④身体中サラサラコース
⑤毒素やっつけコース
⑥老廃物サヨナラコース
⑦⑧⑨スペシャルコース

※２週間～１か月に１度、通っていただくことをおすすめします。

※Eはその都度のお支払いもできます。　※180分／24,000円のコースもあります。
※妊娠中・ペースメーカーをご使用の方にはご案内できません。

音響チェア

音響免疫理論に基づいてつくられた音響チェア。音が脊髄に伝わり体中の水分と共鳴することで、身体はポカポカ、細胞は元気に。心身ともにリラックスします。

A. 自然音Aコース　（60分）10,000円
B. 自然音Bコース　（60分）10,000円
C. 自然音A＋自然音B（120分）20,000円

お得な複数回チケットも！

3回チケット／24,000円
5回チケット／40,000円
10回チケット／80,000円＋１回無料

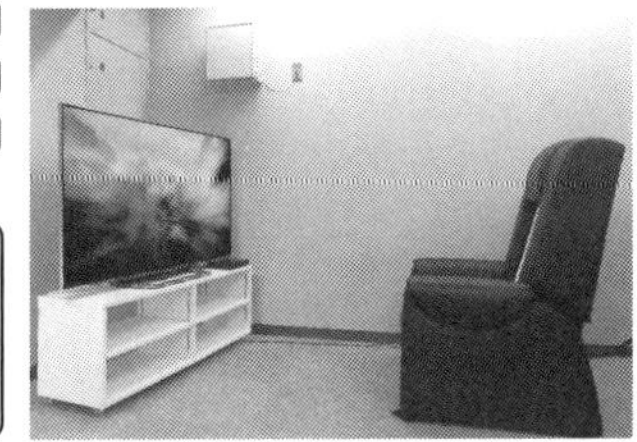

コンドリの主成分「G セラミクス」は、11 年以上の研究を継続しているもので、天然のゼオライトとミネラル豊富な牡蠣殻を使用し、他社には真似出来ない特殊な技術で熱処理され、製造した「焼成ゼオライト」（国内製造）です。
人体のバリア機能をサポートし、肝臓と腎臓の機能の健康を促進が期待できる、安全性が証明されている成分です。ゼオライトは、その吸着特性によって整腸作用や有害物質の吸着排出効果が期待できます。消化管から吸収されないため、食物繊維のような機能性食品成分として、過剰な糖質や脂質の吸収を抑制し、高血糖や肥満を改善にも繋がることが期待されています。ここにミネラル豊富な蛎殻をプラスしました。体内で常に発生する活性酸素をコンドリプラスで除去して細胞の機能を正常化し、最適な健康状態を維持してください。

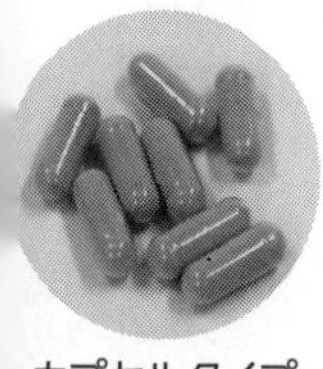
カプセルタイプ

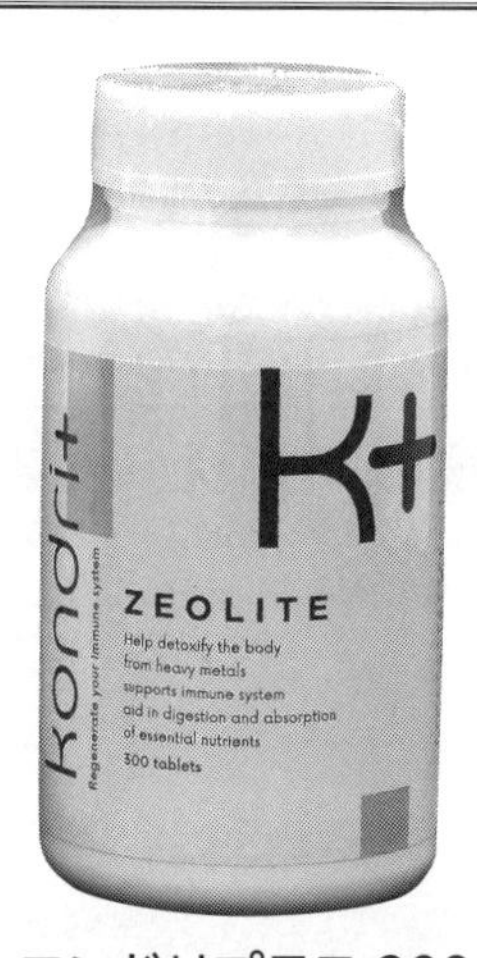

コンドリプラス 100
（100 錠入り）
23,112 円（税込）

コンドリプラス 300
（300 錠入り）
48,330 円（税込）

コンドリプラスは
右記 QR コードから
ご購入頂けます。

QR のサイトで購入すると、

定期購入していただくと 50% 引きになります。

＊ご案内の価格、その他情報は発行日時点のものとなります。

本といっしょに楽しむ イッテル♥ Goods&Life ヒカルランド

天然のゼオライトとミネラル豊富な牡蠣殻で不要物質を吸着して体外に排出！

水に溶かして飲む緑茶味のパウダータイプと、さっと飲めるカプセル状の錠剤の２タイプ。お好みに合わせてお選び下さい。

掛川の最高級緑茶粉末がたっぷり入って、ほぼお茶の味わいです。パウダー1包に2カプセル分の「Gセラミクス」が入っています。ペットボトルに水250mlとパウダー1包を入れ、振って溶かすと飲みやすく、オススメです。

パウダータイプ

コンドリプラス・パウダー 10
(10本パック)
4,644円（税込）

コンドリプラス・パウダー 50
(50本パック)
23,112円（税込）

原材料：緑茶粉末、焼成カルシュウム（国内製造）、食物繊維（グアガム分解物）、L-アスコルビン酸、ヘマトコッカス藻色素（アスタキサンチン）、ドライビタミンD3

ご注文はヒカルランドパークまで TEL03-5225-2671 https://www.hikaruland.co.jp/

本といっしょに楽しむ イッテル♥ Goods&Life ヒカルランド

マイナスイオン+オゾンで
強力 10 倍除菌・除塵・脱臭！ お家まるごと空間清浄

タバコの煙もあっという間に消える !?

お家では、寝室（PM2.5、ハウスダスト、花粉、枕カバー・タバコ・クローゼット・汗の臭い）、リビング（エアコンのカビ、ソファー・カーペット・ペットの臭い、リモコンの付着菌、ドアノブの付着菌）、キッチン・ダイニング（魚や揚げ物など料理・換気扇・生ゴミの臭い、シンク周りのカビ、キッチンタオルの生乾きの臭い）、バスルーム（カビ）、玄関（下駄箱の臭い）、トイレ（アンモニア臭）など、場所によってさまざまな臭いや空気の汚れのお悩みがあります。「j.air」は、それらを一気に解消！ 最大25畳をカバーするため、各部屋の扉を開けておけばお家全体の空気をクリーンに。室内に浮遊する目に見えない微細なチリや花粉などの有害物質はオゾンの酸化力で破壊分解して根本から解消。菌や臭いにはオゾンとマイナスイオンが吸着して除菌・脱臭。オゾンとマイナスイオンを併用することで、それぞれ単体で使用したときにくらべて除菌効果が 10 倍に。モーターや風の排出音がないため静音。どんな場所にもなじむデザインでお部屋の雰囲気を乱すこともありません。ペットやあかちゃんにも安心の設計で、家族みんなの健康を守ります。クーラーのカビ菌にも対応！　ノミ、ダニ、ゴキブリ、蚊はほど良いオゾンが大嫌い（逃げます）。J.air で快適空間生活を始めましょう！

j.air（ジェイエアー）

170,500円（税込）

サイズ：高さ 125mm × 幅 125mm × 奥行 125mm　重量：1300g　推奨使用面積：～ 25 畳（環境により差があります）除塵方式：イオン方式　マイナスイオン量：1000 万個 / cc 以上　オゾン濃度：0.03ppm（環境値以下）　電源・電圧：AC100V ～ 240V 50/60Hz　消費電力：8w　本体材質：イオン電極チタン 他ステンレス　カバー材質：木

【使用方法】パワースイッチをオンにするだけで作動する簡単操作。高さ 1.8 ～ 2 メートルの場所で設置を推奨。効率よく、室内にマイナスイオン & オゾンを広げます。24 時間 365 日、継続使用が可能（問題がある際は自動的に電源が切れる安全機能を搭載）。

ご注文はヒカルランドパークまで TEL03-5225-2671　https://www.hikaruland.co.jp/

＊ご案内の価格、その他情報は発行日時点のものとなります。

本といっしょに楽しむ イッテル♥ Goods&Life ヒカルランド

現代人に欠かせないシリカを毎日の生活にカンタンに取り入れよう！

シリカは肌や髪、爪、血管、細胞壁などに含まれており、加齢とともに体内から減少する性質を持つため、常に体外から補給する必要がある物質です。その働きは多岐にわたりますが、コラーゲン、エラスチン、コンドロイチン、カルシウムなどの作用の活性化や、頭髪成分のケラチンを生成する働きなど、どれも人間の生命活動に関わるものばかり。そんなシリカを効果的に体外から摂取するために生まれたのが、霧島の深層地下144メートルの岩盤から汲み出された、マグネシウムとシリカの含有量が飛びぬけて高い、貴重な霧島の天然水の中で、純度99．9％のクリスタル・シリカを常温熟成させた、水溶性ケイ素濃縮溶液「ナチュラルチェンジ」です。

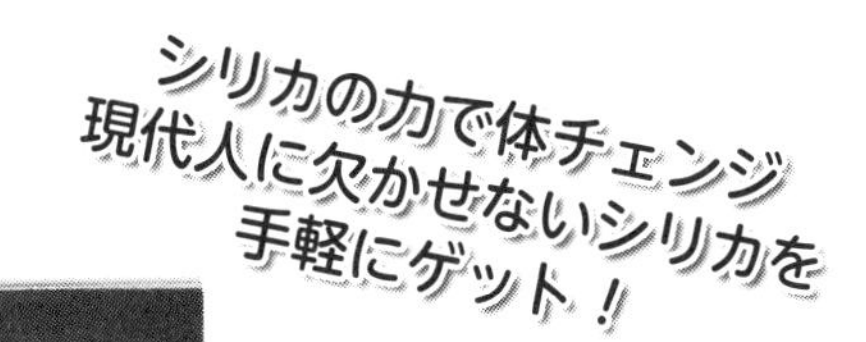

ナチュラルチェンジ

4,320円（税込）

●内容量：50ml ●原材料：高濃度水溶性珪素（シリカ）
●栄養成分表示（1000mlあたり）：シリカ（水溶性珪素）5760mg／カリウムイオン403.0mg／サルフェート38.4mg／カルシウムイオン32.6mg／ナトリウムイオン14.8mg／マグネシウムイオン7.0mg（試験依頼先／社団法人鹿児島県薬剤師会試験センター）
●使用目安：コップ1杯（200cc）に対し、5～10滴を飲料水に入れて1日4回以上を目安にお召し上がりください。

ご注文はヒカルランドパークまで TEL03-5225-2671　https://www.hikaruland.co.jp/

＊ご案内の価格、その他情報は発行日時点のものとなります。

本といっしょに楽しむ イッテル♥ Goods&Life ヒカルランド

健康維持に重要なのは代謝活性とデトックス

化学物質を体外へ排出し、基礎代謝を活性化させ、さらに免疫力を強化して不調を遠ざけ、健やかな身体を目指しましょう。様々な素材の調合、濃度の調整を繰り返し、ついに完成したMD αの登場です。

人は食べた物で出来ている

人間の身体は昨日に食べた物で出来ています。まずは、生活習慣、食生活を改善し、それに加えてこのMD αを取り入れて頂きたいと思います。

私たちの身体は毎日多くの細胞が作られ、細胞を作るためには、食べたモノしかありません。質の良いモノを食べれば質の良い細胞が、化学合成された質の悪い食事ばかりとれば質の悪い細胞が出来、それが不調を誘発する要因となり得ます。また、精神機能を担っている脳も、摂取された栄養に大きく影響を受けています。

ぜひ、MD αを貴方の健康維持にお役立て下さい。


【目安量】1回10～20ml　起床時と就寝時にご利用ください。

空腹時の飲用がオススメです。

MD α

＃100　16,200円（税込）
＃50　27,000円（税込）

原材料名：六員環構造水、フルボ酸、ミネラル22種、海草抽出成分、珪素（鉱物＋植物由来）、安息香酸（食品添加物）
内容量：500ml
開封後冷蔵庫保存をし、1ヶ月を目安にお飲みください。

ご注文はヒカルランドパークまで TEL03-5225-2671　https://www.hikaruland.co.jp/

＊ご案内の価格、その他情報は発行日時点のものとなります。

本といっしょに楽しむ イッテル♥ Goods&Life ヒカルランド

魚の内臓や骨、目玉まで丸ごと摂れて
栄養素が素早く吸収される美味しいスープ

カタクチイワシやカツオのなどの魚と昆布・無臭ニンニク・原木しいたけを「限外濾過膜」という小腸の粘膜よりも微細な透析膜のようなもので濾過し、酸化のもととなる脂肪分や不純物を除き「ペプチド化」しています。
「ペプチド」とは、タンパク質が分解されてアミノ酸として吸収される一歩手前の分子結合のことです。分子が小さいために、栄養吸収に極めて優れています。このペプチドリップ製法で作られた「だし＆栄養スープ・ペプチド」は、水と同じように12~13 分ほどで体内に吸収され、赤ちゃんからお年寄りまで、体力の落ちた方でもきわめて簡単に栄養吸収ができます。無添加の「だし＆栄養スープ・ペプチド」を継続してお飲み頂くと、添加物で鈍くなった味覚が正常に戻り、食材本来の美味しさを感じられるようになります。

使い方はとっても簡単！　お湯で溶かすだけで簡単に黄金色の澄んだ「一番だし」になります。みそ汁のだしや、うどんやラーメンのスープとしてはもちろん、お好みで適量の自然塩や薬味を加えたり、野菜炒めやチャーハンに、ドレッシングに混ぜるなど、様々な料理にお使い頂けます。「だし＆栄養スープ・ペプチド」毎日のお食事に美味しさと栄養をプラスしてみませんか。

だし＆栄養スープ・ペプチド

3,375円（税込）

内容量：500g　原材料：澱粉分解物（キャッサバ芋・タイ産）、カタクチイワシ、カツオ、昆布、原木栽培椎茸、無臭ニンニク
製造元：千年前の食品舎
「栄養スープ」として、大さじ山盛り一杯（約10g）をカップ一杯のお湯で溶き、就寝前と、朝かお昼の1日2杯お飲みください。

ご注文はヒカルランドパークまで TEL03-5225-2671　https://www.hikaruland.co.jp/

＊ご案内の価格、その他情報は発行日時点のものとなります。

ヒカルランド　好評既刊！

地上の星☆ヒカルランド　銀河より届く愛と叡智の宅配便

プーチンが勝ったら世界はどうなる⁉
著者：飛鳥昭雄
四六ソフト　本体2,000円+税

陛下暗殺プランVS霊神ヤハウェ（スサノオ）
著者：飛鳥昭雄
四六ソフト　本体1,600円+税

2022：大祟り神「艮の金神」発動！
著者：飛鳥昭雄
四六ソフト　本体1,800円+税

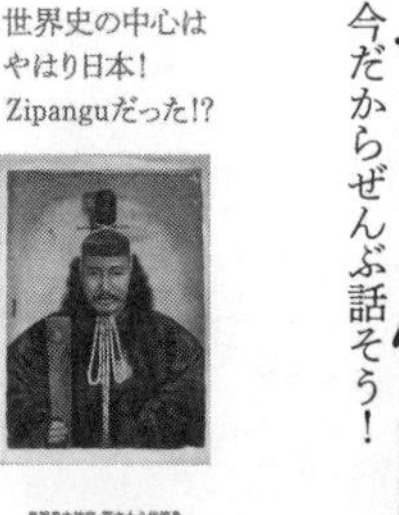

シン・竹内文書
著者：竹内康裕／飛鳥昭雄
四六ハード　本体2,200円+税

地上の星☆ヒカルランド　銀河より届く愛と叡智の宅配便

【在日（日本人名）】による
日本ステルス支配の構造
著者：飛鳥昭雄
四六ソフト　本体2,000円+税

ヒカルランド　好評既刊！

地上の星☆ヒカルランド　銀河より届く愛と叡智の宅配便

コオロギ（ゴキブリ近似種）のすべて
著者：飛鳥昭雄
四六ソフト　本体2,000円+税